W9-CPY-606

BEST SELLER

Mary Higgins Clark nació en Nueva York y cursó estudios en la Universidad de Fordham. Está considerada una de las más destacadas autoras del género de intriga, y sus obras alcanzan invariablemente los primeros puestos en las listas de bestsellers internacionales. Entre su ingente producción destacan, entre otras, *El último adiós*, *No puedo olvidar tu rostro*, *Un extraño acecha*, *Por siempre mía*, *Pálida como la luna*, *Noche de paz*, *Testigo en la sombra*, *La estrella robada*, *La fuerza del engaño*, *En defensa propia*, *Dos niñas vestidas de azul* y *La misma canción*.

Biblioteca

MARY HIGGINS CLARK

¿Dónde están los niños?

Traducción de
Anna Muria

DEBOLS!LLO

Título original: *Where are the Children?*

Sexta edición en este formato: mayo, 2010

Printed in Spain – Impreso en España

ISBN: 978-84-9759-430-1 (vol. 184/2)
Depósito legal: B. 19815-2010

Impreso en Liberdúplex, S. L. U.
Sant Llorenç d'Hortons (Barcelona)

P 894304

PRÓLOGO

Podía sentir el frío que se colaba por las rendijas en torno a los cristales de la ventana. Se levantó con torpeza y avanzó pesadamente hacia ella. Tomó una de las gruesas toallas que tenía a mano y la apretó contra el marco podrido.

La corriente de aire que entraba hizo con la toalla un ruido suave y silbante, un ruido que le agradó vagamente. Miró al cielo cubierto de niebla y contempló las cabrillas que se agitaban sobre el agua. Desde aquel lado de la casa era posible ver a menudo Provincetown, en la orilla opuesta de la bahía del Cabo Cod.

Odiaba el Cabo. Odiaba su falta de color en un día de noviembre como aquél, el gris total del agua, la gente impasible que no hablaba mucho pero lo examinaba a uno con la mirada. Lo odió en el único verano que había estado allí: oleadas de turistas esparcidos por las playas, trepando por el empinado embarcadero hasta aquella casa, embobados ante las ventanas de abajo, haciendo visera con las manos para atisbar adentro.

Odiaba el gran letrero que decía EN VENTA, colocado por Ray Eldredge en los lados anterior y posterior de la gran casa, y el hecho de que ahora Ray y esa mujer que trabajaba para él hubiesen empezado a traer gente a ver la casa. El mes pasado fue sólo cuestión de suerte que él se presentara cuando empezaban a recorrerla, que hubiese llegado al piso de arriba antes que ellos y hubiera podido guardar el catalejo.

El tiempo corría. Alguien compraría la casa y él ya no podría volver a alquilarla. Por eso había mandado el artículo al periódico. Quería estar aquí todavía para gozar viéndola a ella expuesta, tal como era, ante esa gente..., ahora, cuando debía haber empezado a sentirse segura.

Había algo más que tenía que hacer, pero la oportunidad no había llegado nunca. Ella vigilaba tan estrechamente a los niños... Pero no podía permitirse esperar más. Mañana...

Se movió inquieto por la habitación. El dormitorio del apartamento del piso superior era grande. Toda la casa era grande. Era una evolución degradada de una vieja casa de capitán. Empezada en el siglo XVII sobre una cresta rocosa que dominaba la vista de toda la bahía, era un presuntuoso monumento a la necesidad del hombre de estar en guardia eternamente.

La vida no era así. Era trocitos y pedazos. Icebergs que mostraban sus cimas. Lo sabía. Se frotó la cara con la mano, sintiéndose caliente e incómodo aun cuando la habitación estaba fría. Durante seis años había alquilado esta casa para finales de verano y el otoño. Estaba casi exactamente igual que cuando entró por ella por primera vez. Sólo unas pocas cosas eran diferentes: el catalejo en la estancia de delante, las ropas que guardaba para las ocasiones especiales, la gorra con visera que se ponía inclinada sobre el rostro, al que daba sombra tan convenientemente.

En lo demás, el apartamento permanecía como antes: el sofá pasado de moda, las mesas de pino y la estera curvada, en la sala; los muebles de arce del dormitorio. La casa y el apartamento habían sido ideales para su propósito hasta aquel otoño, cuando Ray Eldredge le dijo que estaba tratando de vender la finca para un restaurante y que sólo se la podían alquilar a condición de que la mostrara cuando le avisaran por teléfono.

Raynor Eldredge. Recordar a aquel hombre le hizo sonreír. ¿Qué pensaría Ray mañana, cuando leyese la historia? ¿Le había dicho nunca Nancy quién era ella? Quizá no. Las mujeres pueden ser astutas. Si Ray no lo sabía, sería aún mejor. ¡Qué maravilloso sería ver realmente la expresión de Ray cuando abriese el periódico! Lo repartían poco después de las diez de la mañana. Ray estaría en su oficina. Quizá no lo ojease enseguida.

Impaciente, volvió la espalda a la ventana. Sus piernas gruesas como troncos estaban ceñidas por brillantes pantalones negros. Estaría contento cuando pudiese perder algo de peso. Significaría esa terrible prueba de pasar hambre otra vez, pero podía hacerlo. Lo había hecho antes, cuando fue necesario. Inquieto, se frotó con la mano el cráneo, donde sentía una vaga comezón. Estaría contento cuando pudiese dejarse crecer otra vez el pelo a su propio estilo. A los lados siempre lo había tenido espeso, y probablemente ahora sería en gran parte gris.

Pasó una mano lentamente por la pernera del pantalón, después se paseó impaciente por el apartamento y finalmente se detuvo ante el catalejo, en la sala. El catalejo era especialmente potente: la clase de material que no se encontraba generalmente en el comercio. Ni siquiera muchos puestos de policía lo tenían aún. Se inclinó y miró por él bizqueando de un ojo.

A causa de la oscuridad del día, la luz de la cocina estaba encendida, así que era fácil ver a Nancy claramente. Estaba de pie ante la ventana de la cocina, la que había sobre el fregadero. Quizá estaba preparando algo destinado a la cena para ponerlo en el horno. Sin embargo, llevaba puesta una chaqueta gruesa, así que probablemente iba a salir. Permanecía sin moverse, sólo mirando hacia el agua. ¿En qué estaba pensando? ¿En quién estaba pensando? ¿Los niños, Peter..., Lisa...? Le gustaría saberlo.

Sintió que se le secaba la boca y se lamió los labios nerviosamente. Ella tenía hoy el aspecto muy joven. Llevaba el pelo peinado hacia atrás. Lo conservaba castaño oscuro. Alguien seguramente la hubiera reconocido si se lo hubiese dejado con su color natural, rojo dorado. Mañana cumpliría treinta y dos años. Mas todavía no aparentaba su edad. Tenía una intrigante cualidad joven, suave, fresca y sedosa.

Tragó saliva nerviosamente. Podía sentir la febril sequedad de la boca, aun cuando sus manos y sus axilas permanecían húmedas y calientes. Engulló, tragó saliva otra vez y el ruido que hizo se convirtió en una risita profunda. Todo su cuerpo empezó a temblar de gozo y sacudió el catalejo. La imagen de Nancy se hizo borrosa, pero no se molestó en enfocar de nuevo la lente. Hoy ya no le interesaba contemplarla más.

¡Mañana! Podía ver exactamente la expresión que ella tendría mañana a esa hora. Expuesta ante el mundo tal como era: aturdida de preocupación y miedo, tratando de contestar la pregunta..., la misma pregunta que la policía le había lanzado repetidamente siete años atrás.

«Vamos, Nancy —diría de nuevo la policía—. Sea sincera con nosotros. Diga la verdad. Debe saber que no puede seguir con esto. Díganos, Nancy: ¿dónde están los niños?»

1

17 de noviembre

Ray bajó la escalera tirando del apretado nudo de su corbata. Nancy estaba sentada a la mesa con la todavía soñolienta Missy en el regazo. Michael tomaba el desayuno a su manera reposada y reflexiva.

Ray despeinó el pelo de Mike y se inclinó para besar a Missy. Nancy le sonrió. Era tremendamente bonita. Había unas líneas finas en torno a sus ojos azules, pero, de todas maneras, nadie le había dado sus treinta y dos años. Ray sólo tenía algunos más, pero siempre se sentía infinitamente mayor que ella. Quizá era esa horrible vulnerabilidad. Notó los indicios de rojo en las raíces del cabello oscuro de Nancy. Una docena de veces, durante el último año, había deseado pedirle que se lo dejara crecer con su propio color, mas no se había atrevido.

—Feliz cumpleaños, cariño —dijo con calma.

Observó que la cara de Nancy palidecía. Michael pareció sorprendido.

—¿Es el cumpleaños de mamá? No me lo dijiste.

Missy se enderezó.

—¿El cumpleaños de mamá? —parecía contenta.

—Sí —les confirmó Ray. Nancy miraba fijamente a la mesa—. Y esta noche vamos a celebrarlo. Esta noche traeré a casa un gran pastel de cumpleaños y un regalo, y tendremos a tía Dorothy a cenar. ¿De acuerdo, mamá?

—Ray... No.

La voz de Nancy era baja y suplicante.

—Sí. Recuerda: el año pasado prometiste que este años íbamos a...

Celebrarlo no era la palabra adecuada. No la pudo decir. Pero desde hacía largo tiempo sabía que algún día tendrían que empezar a cambiar el estilo de los cumpleaños de Nancy. Al principio ella se apartaba completamente de él y andaba por la casa o paseaba por la playa como un silencioso fantasma en su mundo propio.

Sin embargo, el año pasado, finalmente, había empezado a hablar de ellos..., de los otros dos niños. Dijo:

—Serían tan grandes ahora... Diez y once años. Trato de imaginar qué aspecto tendrían hoy, pero parece que ni siquiera puedo imaginarlo... Todo lo de aquel tiempo está tan borroso... Como una pesadilla que solamente soñé.

—Tiene que ser así —le manifestó Ray—. Déjalo todo atrás, cariño. No vuelvas a preguntarte qué sucedió.

El recuerdo fortaleció la decisión de Ray. Se inclinó hacia Nancy y le acarició la cabeza con un ademán que era a la vez protector y cariñoso.

Nancy levantó la mirada hacia él. La súplica, en su rostro, se convirtió en incertidumbre.

—No creo...

Michael la interrumpió.

—¿Cuántos años tienes, mamá? —preguntó en tono práctico.

Nancy sonrió... con una verdadera sonrisa que milagrosamente aflojó la tensión.

—No te importa —contestó.

Ray tomó rápidamente un sorbo del café de Nancy.

—Buena muchacha —dijo—. Te diré una cosa, Mike. Te recogeré esta tarde al salir de la escuela e iremos a comprar un regalo para mamá. Ahora es mejor que me vaya. Ha de venir un tipo para ver la casa de Hunt. Quiero estar preparado.

—¿No está alquilada? —preguntó Nancy.

—Sí. Ese Parrish, que ha alquilado el apartamento de cuando en cuando, lo tiene otra vez. Pero sabe que tenemos derecho a enseñar la casa en cualquier momento. Es un lugar estupendo para un restaurante y no costaría mucho reformarla. Se me dará una buena comisión si la vendo.

Nancy dejó a Missy en el suelo y fue con él hasta la puerta. Ray la besó ligeramente y sintió temblar los labios de Nancy bajo los suyos. ¿Hasta qué punto la habría inquietado con esa conversación sobre el cumpleaños? Cierto instinto le hizo desear decirle: «No esperemos hasta esta noche. Me quedaré, e iremos a pasar el día en Boston con los niños.»

En vez de eso, se metió en el coche, agitó la mano, hizo retroceder el vehículo y lo condujo hacia el estrecho camino de tierra que serpenteaba a través de algunas zonas boscosas hasta terminar en el cruce de la carretera del Cabo que conducía al mismo centro de Adams Port y a su oficina.

Ray tenía razón, pensó Nancy mientras volvía lentamente a la mesa. Llegaba la hora de abandonar los hábitos de ayer..., la hora de dejar de recordar y mirar solamente al futuro. Sabía que una parte de sí misma permanecía todavía helada. Sabía que la mente dejaba caer una cortina protectora sobre los recuerdos dolorosos..., pero había algo más.

Era como si su vida con Carl fuese, todo el tiempo, una mancha... Era duro recordar el edificio de la facultad en el recinto universitario, la voz modulada de Carl..., Peter y Lisa. ¿Qué aspecto tenían? Cabello oscuro los dos, como el de Carl, y también tranquilos..., también sumisos..., afectados por su incertidumbre... y después perdidos... los dos.

—Mamá, ¿por qué pones esta cara tan triste? —Michael la miraba con la expresión cándida de Ray, hablaba con la franqueza de Ray.

«Siete años», pensó Nancy. La vida era una serie de ciclos de siete años. Carl solía decir que en este tiempo todo nuestro cuerpo cambia. Cada célula se renueva. Era ya hora de mirar realmente hacia adelante..., de olvidar.

Miró en torno a la cocina, grande y alegre, con

la vieja chimenea de ladrillo, el amplio piso de madera de roble, las cortinas rojas con cenefas que no obstruían la vista sobre el puerto. Y luego miró a Michael y a Missy...

—No estoy triste, cariño —contestó—. De veras no lo estoy.

Levantó a Missy en sus brazos, sintiendo su tibieza dulcemente pegajosa.

—He estado pensando en tu regalo —dijo Missy.

Su largo pelo rubio rojizo se enroscaba sobre sus orejas y su frente. La gente a veces preguntaba de dónde había sacado ese hermoso pelo... ¿Quién había sido pelirrojo en la familia?

—Magnífico —le contestó Nancy—. Pero piensa en él afuera. Es mejor que tomes pronto algo de aire puro. Probablemente más tarde lloverá y hará mucho frío.

Cuando los niños estuvieron vestidos, les ayudó a ponerse las bufandas y los gorros.

—Aquí está mi dólar —dijo Michael con satisfacción mientras metía la mano en el bolsillo del pecho de su chaqueta—. Estaba seguro de que lo había dejado aquí. Ahora puedo comprarte un regalo.

—Yo también tengo dinero. —Missy mostró orgullosa un puñado de céntimos.

—¡Oh!, vamos, no debéis llevaros el dinero afuera —les reconvino Nancy—. Vais a perderlo. Dejad que yo os lo guarde.

Michael sacudió la cabeza.

—Si te lo doy, puedo olvidarlo cuando salga de compras con papá.

—Te prometo que no dejaré que lo olvides.

—Mi bolsillo tiene un cierre relámpago. ¿Ves? Lo guardaré en éste y llevaré el de Missy.

—Bueno...

Nancy se encogió de hombros y abandonó la discusión. Sabía perfectamente bien que Michael no perdería el dólar. Era como Ray, organizado.

—Ahora, Mike, voy a hacer la limpieza. Asegúrate de estar siempre al lado de Missy.

—Muy bien —repuso Michael alegremente—. Vamos, Missy. Primero te empujaré en el columpio.

Ray había construido un columpio para los niños. Estaba suspendido de una rama del macizo roble, al borde del bosque, detrás de la casa.

Nancy puso los guantes a Missy. Eran de un rojo vivo; en el dorso de cada uno, un bordado en velluda lana de Angora dibujaba unas caras sonrientes.

—Déjatelos puestos —le dijo—; si no, se te enfriarán las manos. Empieza a hacer frío de verdad. Ni siquiera estoy segura de que debáis salir.

—¡Oh, por favor! —El labio de Missy empezaba a temblar.

—Bueno, bueno, no dramatices —reprochó Nancy apresuradamente—. Pero no más de media hora.

Abrió la puerta de la parte posterior y les dejó salir; luego se estremeció al envolverla la brisa helada. Cerró la puerta rápidamente y empezó a subir la escalera. La casa era una auténtica construcción del viejo Cabo, y la escalera era casi vertical. Ray decía que los antiguos colonizadores debían de tener algo de cabra montés, por la manera como construían sus escaleras. De todas formas, a Nancy le gustaba todo lo de aquel lugar.

Podía recordar aún la sensación de paz y de bienvenida que le produjo cuando lo vio por primera vez, hacía más de seis años. Vino al Cabo después de haberse retirado la acusación. El fiscal del distrito no había hecho presión para un nuevo proceso porque Rob Legler, su testigo esencial para la acusación, había desaparecido.

Ella huyó hacia aquí atravesando todo el continente..., tan lejos de California como pudiese llegar; tan lejos como pudiese de la gente que había conocido y del lugar donde había vivido y de la universidad y de toda la comunidad académica de allá. No quería volver a verlos nunca..., a los amigos que habían resultado no ser amigos, sino seres extraños, hostiles, que hablaban del «pobre Carl» porque achacaban a ella la culpa de su suicidio.

Vino al Cabo Cod porque siempre había oído decir que la gente de Nueva Inglaterra y del Cabo era reticente y reservada y no quería tener nada que ver con extaños, y esto era bueno. Necesitaba un lugar donde ocultarse, encontrarse a sí misma, ordenar todo aquello, tratar de pensar en lo que había sucedido, tratar de volver a la vida.

Se había cortado el pelo y teñido de color castaño, y eso fue suficiente para hacerla completamente distinta de las fotografías aparecidas en las primeras páginas de los periódicos de todo el país durante el proceso.

Suponía que sólo el destino podía haberla empujado a elegir la oficina de administración de fincas de Ray cuando buscaba una casa por alquilar.

De hecho, había ya concertado una cita con otro administrador, pero, obedeciendo a un impulso, fue a verle a él primero porque le gustó el letrero escrito a mano y las ventanas llenas de crisantemos amarillos y color champaña.

Esperó que él acabase con otro cliente —un viejo con cara de cuero y pelo espeso y rizado— y admiró la manera como Ray le aconsejaba que conservase su propiedad, ya que él le encontraría un inquilino para el apartamento, lo cual le ayudaría a pagar los gastos.

Cuando el viejo salió, ella dijo:

—Quizá llego en el momento más oportuno. Quiero tomar una casa en alquiler.

Pero él ni siquiera le enseñó la casa de Hunt.

—El Mirador es demasiado grande, demasiado solitario y expuesto al aire para usted —añadió—. Pero precisamente tengo por alquilar una auténtica casa del Cabo en excelentes condiciones, completamente amueblada. Incluso, eventualmente, puede comprarse, si le gusta. ¿Cuánto espacio necesita usted, señorita..., señora...?

—Señorita Kiernan —le aclaró ella—. Nancy Kiernan. —Instintivamente usó el apellido de su madre—. No mucho, en realidad. No tendré visitas ni huéspedes.

Le gustó el hecho de que él no indagase, de que ni siquiera se mostrase curioso.

—El Cabo es un buen lugar adonde venir para estar solo —dijo él—. No se puede sentir la soledad paseando por la playa o contemplando el ocaso, o simplemente viendo cómo amanece tras la ventana.

Luego Ray la llevó allí y ella supo inmediatamente que se quedaría. La combinación de sala de estar y comedor se había hecho en la antigua despensa, que en otro tiempo fue el corazón de la casa. Le gustaba la mecedora frente al hogar y la manera de estar colocada la mesa ante las ventanas, de modo que era posible comer y contemplar, abajo, el puerto y la bahía.

Pudo instalarse allí inmediatamente; si Ray se preguntó por qué no tenía absolutamente nada más que las dos maletas que había sacado del autocar, no lo demostró. Nancy dijo que su madre había muerto y ella había vendido su casa de Ohio y decidido venir al Este. Simplemente omitió hablar de los seis años que habían pasado entretanto.

Aquella noche, por primera vez desde hacía meses, pudo dormir sin interrupción: un dormir profundo, sin sueños, en el que no oyó a Peter ni a Lisa llamándola, ni estuvo en la sala del tribunal oyendo cómo Carl la condenaba.

Aquella primera mañana aquí se hizo café y se sentó junto a la ventana. Era un día claro, brillante: el cielo, sin nubes, color violeta azulado; la bahía, tranquila y quieta; el único movimiento era el arco descrito por las gaviotas que revoloteaban cerca de las barcas pesqueras.

Rodeando con los dedos la taza, había sorbido el café y mirado a su alrededor. El calor del café penetró en su cuerpo. Los rayos del sol le calentaron el rostro. La tranquilidad de la escena aumentó la calmante sensación de paz que había empezado a experimentar con las largas horas de dormir sin sueños.

«Paz... Dadme paz.» Ésta había sido su plegaria durante el proceso, en la cárcel. «Dejadme aprender a aceptar.» Hacía siete años...

Nancy suspiró, dándose cuenta de que todavía permanecía junto al primer peldaño de la escalera. Era tan fácil perderse en los recuerdos... Por esto se esforzaba tanto en vivir cada día..., en no mirar hacia atrás ni hacia el futuro.

Empezó a subir lentamente. ¿Cómo podría haber nunca paz para ella, sabiendo que, si Rob Legler aparecía algún día, volverían a procesarla por asesinato? ¿Alejarla de Ray, de Missy y de Michael? Por un instante se cubrió la cara con las manos. «No pienses en eso —se dijo—. Es inútil.»

Al final de la escalera sacudió la cabeza con determinación y se dirigió rápidamente al dormitorio principal. Abrió las ventanas y se estremeció cuando el viento empujó las cortinas contra ella. Se insinuaban unas nubes y el agua de la bahía había empezado a cabrillear. La temperatura bajaba rápidamente. Nancy ya era ahora lo bastante del Cabo para saber que un viento frío como aquél trae generalmente una tormenta.

Mas, en realidad, el tiempo era todavía suficientemente claro para tener a los niños fuera. Le gustaba que tomaran el aire lo más posible por la mañana. Después de comer, Missy hacía la siesta y Michael iba a la escuela maternal.

Empezó a tirar de las sábanas de la gran cama de matrimonio y vaciló. Missy, ayer, había estado sorbiéndose los mocos. ¿Debería bajar y advertirle que no se desabrochase el cuello de la chaqueta? Esto era uno de sus trucos favoritos. Missy siempre se quejaba de que todos sus vestidos le apretaban demasiado el cuello.

Nancy deliberó durante un instante, después tiró de las sábanas y las sacó de la cama. Missy llevaba un jersey de cuello de cisne. Su cuello quedaría cubierto aunque se desabrochase el botón. Además, sólo tardaría diez o quince minutos en cambiar las ropas de las camas y ponerlas a lavar.

Diez minutos, a lo sumo, se prometió Nancy, a fin de tranquilizar la importuna preocupación que insistentemente le decía que fuese *ahora* al encuentro de los niños.

2

Algunas mañanas Jonathan Knowles andaba hasta la tienda para recoger su periódico matutino. Otros días iba en bicicleta. En su camino siempre pasaba junto a la vieja casa de Nickerson, la que Ray Eldridge había comprado cuando se casó con la linda muchacha que la tenía alquilada.

Cuando el anciano Sam Nickerson aún la tenía, la casa empezó a deteriorarse, sin embargo ahora se veía bien arreglada y sólida. Ray había puesto un tejado nuevo y pintado la casa; y su mujer, ciertamente, tenía gusto por las plantas. Los crisantemos amarillos y anaranjados, en las jardineras de las ventanas, daban una alegría cálida incluso al día más gris.

Cuando hacía buen tiempo, Nancy Eldredge a menudo estaba ya fuera a primeras horas de la mañana, trabajando en su jardín. Siempre le dirigía un saludo amable y después volvía a su tarea. Jonathan admiraba ese rasgo en una mujer. Conoció a la familia de Ray cuando veraneaba allí. Naturalmente, los Eldredge habían contribuido a poblar el Cabo. El padre de Ray dijo a Jonathan, en una ocasión, que su árbol genealógico se remontaba hasta un antepasado llegado en el *Mayflower*.

El hecho de que Ray tuviese tanto amor al Cabo como para decidir establecer allí su negocio era particularmente ejemplar a los ojos de Jonathan. El Cabo tenía lagos y lagunas, y la bahía y el océano. Tenía bosques donde pasear y tierras donde esparcirse la gente. Y era un buen lugar para que una pareja joven criase a sus hijos. Un buen lugar donde retirarse a vivir hasta el fin de sus días. Jonathan y Emily habían pasado sus vacaciones allí y esperaban poder quedarse todo el año. Casi lo habían logrado, además. Pero para Emily no había de ser así.

Jonathan suspiró. Era un hombre corpulento, con espeso cabello blanco y una cara ancha que empezaba a colgarle en pliegues en la papada. Abogado retirado, le resultaba deprimente la inactividad. En invierno no se puede ir mucho a pescar. Y curiosear en las tiendas de anticuarios y de restauradores de muebles no era ya divertido como lo había sido cuando Emily estaba con él. Pero durante aquel segundo año de residencia permanente en el Cabo había empezado a escribir un libro.

Lo empezó para distraerse, pero se había convertido en una absorbente actividad diaria. Un amigo editor leyó unos pocos capítulos en un fin de semana y enseguida le mandó un contrato. El libro era un estudio de los procesos por asesinato más famosos. Jonathan trabajaba en él cinco horas diarias los siete días de la semana, empezando puntualmente a las nueve y media de la mañana.

El viento le azotaba. Se quitó la bufanda, agradecido al reflejo del sol sobre el agua, que sentía en su rostro cuando miraba en dirección a la bahía. Con los árboles desnudos, se podía ver bien el agua. Solamente la vieja casa de Hunt, sobre su alto farallón, interrumpía la vista: la casa que llamaban El Mirador.

Jonathan siempre miraba hacia la bahía en aquel punto exacto de su trayecto. Esta mañana, otra vez, guiñó los ojos cuando volvió la cabeza. Irritado, miró de nuevo la carretera después de haber advertido el cabrilleo agitado, tempestuoso. Aquel tipo que alquilaba la casa debía de tener algo metálico en la ventana, pensó. Era una condenada molestia. Sintió ganas de pedir a Ray que hablase con ese tipo; luego, tristemente, desechó la idea. El inquilino podría sugerir, simplemente, que Jonathan contemplase la bahía desde algún otro lugar del camino.

Se encogió de hombros inconscientemente. Se encontraba justo enfrente de la casa de Eldredge, y Nancy estaba sentada a la mesa del desayuno, junto a la ventana, hablando con el niño. La niña estaba sobre sus rodillas. Jonathan volvió rápidamente la mirada, pues se sentía como un intruso y no quería encontrarse con la de Nancy. Bueno, compraría el periódico, se prepararía un desayuno solitario y se sentaría junto al escritorio. Hoy empezaría a trabajar en el caso Harmon, de asesinato... Sospechaba que constituiría el más interesante de todos los capítulos.

3

Ray abrió la puerta de su oficina incapaz de sacudirse la importuna sensación de ansiedad que, como un dolor de muelas no localizado, latía en algún lugar dentro de él. ¿Qué pasaba? No era sólo que Nancy tuviera que aceptar su cumpleaños arriesgándose a los recuerdos que suscitaba. En realidad, ella había estado muy calmada. La conocía lo suficiente para comprender cuándo la tensión surgía por el pensamiento de aquella otra vida.

Podía ser provocada por algo como la imagen de un niño y una niña de pelo oscuro, juntos, en la edad de sus otros hijos, o por una conversación sobre el asesinato de aquella niña encontrada muerta en Cohasset el año pasado. Pero Nancy se sentía muy bien esta mañana. Era algo más, un presagio.

—¡Oh, no! ¿Qué significa esto?

Ray levantó la mirada sobresaltado. Dorothy estaba en su escritorio. Su pelo, más gris que castaño, enmarcaba sencillamente su cara larga, agradable. Su jersey beige y su falda marrón de lana, sencillos, mostraban un descuido casi estudiado y la indiferencia por los adornos de la que los llevaba.

Dorothy fue el primer cliente de Ray cuando éste abrió la oficina. La muchacha que tenía empleada no se había presentado y Dorothy se ofreció para ayudarle durante unos días. Desde entonces había estado con él.

—¿Se da cuenta, verdad, de que está usted meneando la cabeza y frunciendo el ceño? —le dijo.

Ray sonrió avergonzado.

—Nervios matutinos, supongo. ¿Cómo le va el trabajo?

Dorothy adoptó inmediatamente un aire de oficina.

—Muy bien. Tengo recogido todo el expediente de El Mirador. ¿A qué hora espera usted a ese individuo que quiere verlo?

—Hacia las dos —contestó Ray. Se inclinó sobre el escritorio de Dorothy—. ¿De dónde desenterró usted estos planos?

—Estaban archivados en la biblioteca. No olvide que esta casa se empezó en 1690. Haría un restaurante maravilloso. Si alguien está dispuesto a gastar dinero para renovarla, podrá ser espectacular. Y esa situación frente al mar es inigualable.

—Tengo entendido que el señor Kragopoulus y su esposa han construido y vendido ya varios restaurantes, y que no les importa gastar dinero para hacer las cosas como deben hacerse.

—Nunca he conocido a un griego que no pudiese hacer prosperar un restaurante —comentó Dorothy mientras cerraba la carpeta.

—Y todos los ingleses son unos ganapanes y ningún alemán tiene sentido del humor y la mayoría de los portorriqueños, quiero decir italianos, son prósperos... ¡Dios mío, cómo odio las etiquetas!

Ray se sacó la pipa del bolsillo y se la puso en la boca.

—¿Qué? —Dorothy lo miró asombrada—. Yo no ponía etiquetas, seguro... O quizá lo hacía, pero no de la manera que usted lo interpretó.

Le volvió la espalda y guardó la carpeta; Ray se fue a su despacho particular y cerró la puerta.

La había herido. Estúpidamente, innecesariamente. ¿Qué diablos le pasaba? Dorothy era la persona más discreta, justa e imparcial que conocía. Qué repugnante decirle eso. Suspirando, tomó la caja del tabaco, sobre su escritorio, y llenó la pipa. Pensativo, fumó durante quince minutos antes de marcar en el teléfono el número de Dorothy.

—Sí. —Su tono de voz era seco cuando tomó el teléfono.

—¿Están aquí ya las muchachas?

—Sí.

—¿El café está hecho?

—Sí. —Dorothy no le preguntó si estaba dispuesto a tomarlo.

—¿Le importaría traer aquí el suyo y una taza para mí? Y pida a las muchachas que suspendan las llamadas durante quince minutos.

—Está bien —Dorothy colgó.

Ray se levantó para abrirle la puerta y, cuando ella hubo entrado con las tazas humeantes, la cerró con cuidado.

—Paz —dijo contrito—. Lo siento muchísimo.

—Lo creo —repuso Dorothy—; está bien, pero, ¿qué pasa?

—Siéntese, por favor.

Ray señaló el sillón de cuero color de herrumbre junto a su escritorio. Se llevó su taza a la ventana y miró con aire pensativo el paisaje gris.

—¿Le gustaría a usted cenar en nuestra casa esta noche? —preguntó—. Celebramos el cumpleaños de Nancy.

Oyó la fuerte aspiración de Dorothy y se volvió.

—¿Cree que es un error?

Dorothy era la única persona en el Cabo que sabía lo de Nancy. La misma Nancy se lo había dicho, y le pidió consejo antes de casarse con Ray. La voz y la mirada de Dorothy tenían un aire reflexivo al contestar:

—No sé, Ray. ¿Cuál es la idea de esta celebración?

—¡La idea es que no se puede fingir que Nancy no tiene días de cumpleaños! Naturalmente, no es sólo esto. Es que Nancy tiene que romper con el pasado, dejar de ocultarse.

—¿*Puede* romper con el pasado? ¿*Puede* dejar de ocultarse con la perspectiva de otro proceso por asesinato amenazándola siempre?

—Pues es esto precisamente: la *perspectiva*. Dorothy, ¿se da usted cuenta de que ese individuo que testificó contra ella no ha sido visto ni oído desde hace más de seis años? Dios sabe dónde está ahora, e incluso si está vivo. Por lo que sabemos, ha vuelto a entrar en este país bajo otro nombre y está tan deseoso como Nancy de no sacar a relucir el asunto. No olvide que oficialmente es un desertor del ejército. Si le atrapan, le espera un duro castigo.

—Esto es verdad, probablemente —admitió Dorothy.

—*Es* verdad. Y avance otro paso. Sígame a mí, ahora. ¿Qué piensa de Nancy la gente de esta población? Incluyo a las muchachas de mi oficina.

Dorothy vaciló.

—Piensan que es muy bonita... Admiran su manera de llevar los vestidos... Dicen que es siempre amable..., y piensan que se retrae mucho en sí misma.

—Éste es un buen modo de expresarlo. He oído habladurías de que mi mujer se cree demasiado buena para la gente de aquí. En el club se me hacen cada vez más insinuaciones sobre por qué sólo yo soy socio del golf y por qué no llevo allí a mi bella esposa. La semana pasada telefonearon de la escuela de Michael y preguntaron si Nancy querría trabajar en algún comité. No hay que decir que ella rehusó. El mes pasado, finalmente, logré llevarla a la cena de los administradores de fincas y, cuando tomaron la fotografía de grupo, ella estaba en el lavabo.

—Tiene miedo de ser reconocida.

—Lo comprendo. Pero ¿no ve usted que esta posibilidad se hace cada vez menos probable? Y aun cuando alguien le dijera: «Es usted muy parecida a aquella muchacha de California que fue acusada...»; bueno ya sabe usted lo que quiero decir, Dorothy. Para la mayoría de la gente todo terminaría aquí. Un parecido. Punto. ¡Dios mío!, ¿recuerda usted aquel tipo que posaba para todos los anuncios de whisky y de bancos, aquel que era el doble de Lyndon B. Johnson? Yo estuve en el ejército con su sobrino. Hay personas que se parecen a otras personas. Es así de simple. Y, por si alguna vez hubiese otro proceso, quiero que Nancy esté atrincherada con la gente de aquí. Quiero que sientan que es uno de ellos y se pongan de su parte. Porque, cuando sea absuelta, tendrá que volver aquí y reanudar su vida. Todos lo haremos.

—¿Y si hay un proceso y *no* es absuelta?

—Simplemente, no tengo en cuenta esta posibilidad —replicó Ray llanamente—. ¿Qué me dice? ¿Tenemos cita esta noche?

—Me gustaría mucho ir —contestó Doroty—. Y estoy de acuerdo con casi todo lo que usted ha dicho.

—¿Casi?

—Sí. —Lo miró fijamente—. Creo que debería usted preguntarse si este súbito deseo de optar por una vida más normal es sólo por Nancy o si es también por otros motivos.

—¿Qué quiere decir?

—Ray, yo estaba aquí cuando el Secretario de Estado de Massachusetts le instaba para que se metiera en política porque el Cabo necesita hombres jóvenes de su calibre que lo representen. Le oí decirle que le daría su aprobación y toda la ayuda posible. Es muy duro no poder aceptar esto. Pero, tal como están las cosas ahora, usted no puede. Y lo sabe.

Dorothy salió del despacho sin darle oportunidad de contestar. Ray terminó el café y se sentó al escritorio. El enojo, la irritación y la tensión le abandonaron, y se sintió deprimido y avergonzado de sí mismo. Dorothy tenía razón, naturalmente. Pretendió creer que no había ninguna amenaza sobre ellos, que todo era excelente. Y había tenido una audacia del diablo, además. Sabía en qué se metía cuando se casó con Nancy. Y, por si no lo hubiese sabido, ella ciertamente se lo había hecho ver; Nancy había hecho todo lo posible para advertirle.

Ray miraba, sin verlo, el correo que permanecía sobre su escritorio, pensando en las veces que durante los últimos meses estalló irrazonablemente con Nancy de la misma manera que esta mañana con Dorothy. Como lo hizo cuando ella le enseñó la acuarela que había hecho de la casa. Debería estudiar arte. Incluso ahora era bastante buena para realizar una exposición local. Él le replicó: «Es muy bueno. Pero ¿en qué armario vas a esconderlo?»

Nancy se mostró hundida, indefensa. Él hubiera querido morderse la lengua. Dijo: «Cariño, lo siento mucho. Precisamente estoy orgulloso de ti. Quiero que lo expongas.»

¿Cuántos de estos estallidos los causaba el cansancio por la constante restricción de sus actividades?

Suspiró y empezó a revisar la correspondencia.

A las diez y cuarto Dorothy abrió la puerta del despacho. Su tez, que generalmente tenía un saludable rosado, aparecía de un enfermizo blanco grisáceo. Ray se le acercó de un brinco. Pero Dorothy, moviendo la cabeza, cerró la puerta tras ella y alargó el periódico que llevaba escondido bajo el brazo.

Era el semanario *Cape Cod Community News*. Dorothy lo tenía abierto en la segunda sección, la que siempre llevaba textos de interés humano. Lo dejó caer sobre el escritorio.

Juntos miraron fijamente la gran fotografía que para cualquiera representaba inequívocamente a Nancy. Una que Ray no había visto antes, en traje de paño y con el pelo peinado hacia atrás y ya de color oscuro. Al pie de la fotografía se decía: ¿PUEDE SER ÉSTE UN FELIZ CUMPLEAÑOS PARA NANCY HARMON? Otra fotografía mostraba a Nancy saliendo de la sala, rígida y sin expresión, el cabello cayéndole sobre los hombros. En una tercera fotografía se veía a Nancy rodeando con los brazos a dos niños pequeños.

La primera línea de la información decía:

> Hoy, en algún lugar, Nancy Harmon celebra su 32 cumpleaños y el séptimo aniversario de la muerte de los niños de cuyo asesinato resultó culpable.

4

Era el cronometraje. Todo el universo existía gracias al cronometraje por fracciones de segundo. Ahora su cronometraje sería perfecto. Apresuradamente sacó, retrocediendo, el vehículo del garaje. Era un día tan nublado que había sido difícil ver algo por el catalejo, pero le pareció que ella estaba poniendo los abrigos a los niños.

Palpóse el bolsillo y notó que las agujas estaban allí: llenas, preparadas para su uso, para producir una inconsciencia instantánea, un sueño absoluto, sin sueños.

Sentía el sudor en las axilas y en la entrepierna, y grandes gotas se le formaban en la frente y resbalaban por sus mejillas. Esto era malo. Era un día frío. No debía parecer excitado ni nervioso.

Perdió unos segundos preciosos para secarse la cara con la vieja toalla que siempre llevaba en el asiento delantero y miró por encima del hombro. El impermeable de lona era como el que los hombres del Cabo tienen en sus coches, especialmente en la temporada de pesca; lo mismo podía decirse de las cañas que se veían contra la ventanilla posterior. Mas el impermeable era lo bastante grande para cubrir a dos niños. Excitado, soltó una risita y se encaminó hacia la ruta 6 A.

La tienda de Wiggins estaba en la esquina de la carretera y la ruta 6 A. Siempre que estaba en el Cabo compraba allí. Naturalmente, traía con él la mayoría de las cosas que necesitaba, cuando venía para quedarse. Era demasiado arriesgado salir mucho. Existía siempre la probabilidad de toparse con Nancy y que ella le reconociera a pesar del cambio en su aspecto. Esto casi había sucedido cuatro años atrás. Estaba en un supermercado en Hyannis Port y oyó tras él su voz. Alargaba la mano para coger un bote de café y la mano de ella apareció junto a la suya tomando un frasco del mismo estante. Ella decía: «Espera un momento, Mike. Quiero algo de aquí», y, mientras él se inmovilizaba, ella le rozó y murmuró: «¡Oh!, perdone.»

Él no se atrevió a contestar —sólo permaneció allí— y ella se alejó. Estaba seguro de que Nancy ni siquiera le había mirado. Pero después de aquello nunca más se arriesgó a un encuentro. Era necesario, por otra parte, establecer una rutina natural en Adams Port, porque algún día podría ser importante que la gente hiciese caso omiso de sus idas y venidas como parte de la rutina. Por esto compraba leche, pan y carne en la tienda de Wiggins, siempre hacia las diez de la mañana. Nancy nunca salía de casa antes de las once, y aun así siempre iba a la tienda de Lowery, a un kilómetro por la carretera. Y los Wiggins habían empezado a saludarle como a un cliente constante. Bueno, estaría allí dentro de pocos minutos, exactamente de acuerdo con el plan.

No había absolutamente nadie a la vista. El viento, cortante, probablemente disuadía de toda inclinación a salir. Estaba casi en la ruta 6 A y empezó a frenar para detener el vehículo.

Suerte increíble: no había ni un coche en ninguna de las dos direcciones. Aceleró rápidamente y la furgoneta se disparó a través de la calle principal y sobre la carretera que pasaba por la parte posterior de la propiedad de Eldredge. Audacia... Esto era todo lo que se requería. Cualquier tonto podía tratar de llevar a cabo un plan a prueba de tontos. Pero tener un plan tan simple que era impensable llamarlo siquiera un plan —un cronometraje por fracciones de segundo—, esto era verdaderamente genial. Exponerse voluntariamente al fracaso, hacer equilibrios entre una docena de escollos de manera que, cuando el acto está realizado, a nadie se le ocurra siquiera mirar hacia uno... Ésta es la manera.

Las diez menos diez minutos. Los niños probablemente habían salido un minuto antes. ¡Oh, conocía las posibilidades! Uno de ellos podía haber entrado en la casa para ir al lavabo o para beber agua, mas no era probable, no era probable. Durante un mes los había observado cada día. A menos que lloviese de veras, salían a jugar. Ella nunca salía a vigilarlos hasta después de diez o quince minutos. Los niños nunca volvían a entrar en la casa durante esos mismos diez minutos.

Las diez menos nueve minutos. Viró y se metió en el camino de tierra de la finca de Eldredge. El periódico de la comunidad sería entregado dentro de pocos minutos. Aquel artículo saldría hoy. Motivo para que Nancy explotara con violencia... Desenmascaramiento de su papel... Toda la gente de la población hablando impresionada, pasando junto a esta casa, atisbando...

Detuvo el coche a medio camino, en el bosque. Nadie podría verlo desde la carretera. Ni ella desde la casa. Se apeó rápidamente y, manteniéndose bajo la protección de los árboles, se dirigió con presteza al lugar de juegos de los niños. Los árboles, en su mayor parte, estaban deshojados, pero había suficientes pinos y otros de hoja perenne para ocultarlo.

Pudo oír las voces de los niños antes de verles. La voz del niño jadeaba un poco: debía de estar empujando a la niña en el columpio...

—Preguntaremos a papá qué compramos para mamá. Llevaré el dinero de los dos.

La niña reía.

—Bien, Mike, bien. Más alto, Mike... Empújame más alto, por favor.

Se deslizó detrás del niño, que le oyó en el último segundo. Retuvo la imagen de unos ojos azules sorprendidos y una boca que se redondeaba por el terror, antes de que cubriese ojos y boca con una mano, mientras con la otra, hundía la aguja a través del guante de lana. El niño trató de zafarse, se puso rígido, y luego cayó al suelo sin ruido.

El columpio volvía... La niña gritaba:

—Empuja, Mike... No dejes de empujar.

Cogió el columpio por la cadena de la derecha, lo detuvo y apresó el cuerpecito que se agitaba sin comprender. Ahogando con cuidado el suave grito, hundió la otra aguja a través del guante colorado que tenía una sonriente cara de gatito bordada en el dorso. Un instante después, la niña suspiró y se dejó caer contra él.

No se dio cuenta de que un guante se había enzarzado en el columpio y quedó allí mientras él levantaba fácilmente a ambos niños en sus brazos y corría hacia el vehículo.

A las diez menos cinco estaban acurrucados bajo el impermeable de lona. Retrocedió por el camino de tierra hacia la carretera pavimentada que pasaba por detrás de la propiedad de Nancy. Lanzó una maldición cuando vio venir hacia él un pequeño Dodge que frenó para dejarle colocarse en el carril debido, y volvió la cara hacia el otro lado.

Maldita suerte. Mientras pasaba, logró echar una rápida ojeada al conductor del coche y recibió la impresión de una nariz puntiaguda y una barbilla delgada, en silueta, bajo un sombrero deforme. El otro conductor no pareció volver la cabeza para nada.

Tuvo una vaga sensación de familiaridad: probablemente era alguien del Cabo, pero quizá no se había dado cuenta de que la furgoneta por la que había frenado salía del estrecho camino de tierra que conducía a la propiedad de Eldredge. La mayor parte de la gente es poco observadora. Dentro de pocos minutos, probablemente, este hombre ni siquiera recordaría haber frenado por un instante para dejar que un vehículo terminara la vuelta.

Observó el Dodge por el retrovisor hasta que desapareció. Con un gruñido de satisfacción, ajustó el espejo de modo que reflejara el impermeable de lona, al fondo. Aparentemente, estaba tirado con descuido sobre aparejos de pesca. Satisfecho, volvió a poner el espejo en su posición sin mirar otra vez. De haber mirado, hubiera visto que, el coche que había estado vigilando, ahora frenaba y retrocedía.

A las diez y cuatro minutos entró en la tienda de Wiggins y gruñó un saludo mientras tomaba del refrigerador un litro de leche.

5

Nancy bajó la empinada escalera llevando en precario equilibrio un montón de toallas y sábanas, pijamas y ropa interior. En un impulso, había decidido lavar la ropa para que se pudiera secar fuera antes de que estallara la tormenta. El invierno estaba ya aquí; estaba al borde del patio, arrancando de los árboles las últimas hojas muertas. Se instalaba en el camino de tierra, que ahora permanecía tan endurecido como si fuese de cemento. Cambiaba el color de la bahía en un azul grisáceo de humo.

Fuera se formaba la tormenta, pero mientras brillara, como ahora, un sol débil, lo aprovecharía. Le gustaba el olor fresco de las sábanas sacadas al aire libre; le gustaba apretarlas contra su rostro cuando iba a dormirse, la manera en que capturaban el débil perfume de los arándanos y los pinos, y el olor salado del mar... tan diferente del olor húmedo, áspero y agrio de las sábanas de la cárcel. Alejó este pensamiento.

Al pie de la escalera, empezó a dirigirse hacia la puerta trasera, pero se detuvo. ¡Qué tontería! Los niños estaban muy bien. Sólo hacía quince minutos que estaban fuera, y esta frenética ansiedad debía ser dominada. Incluso sospechaba ahora que Missy lo sentía y empezaba a acusar su excesiva protección. Pondría en marcha la lavadora y luego los llamaría para que entrasen. Mientras ellos veían su programa de televisión de las diez y media, ella tomaría una segunda taza de café y ojearía el semanario *Cape Cod Community News.* Terminada la temporada, quizá hallara algunas antigüedades, y no a precio de turistas. Quería un sofá antiguo para la sala..., uno de aquellos de respaldo alto que en el siglo XVIII llamaban *settle.*

En el lavadero, junto a la cocina, escogió la ropa, metió las sábanas y toallas en la máquina, añadió detergente y lejía y, finalmente, apretó el botón para iniciar el ciclo.

Ahora sí que ya era hora de llamar a los niños. Pero en la puerta se detuvo. El periódico acababa de llegar. El muchacho repartidor desaparecía en la curva de la carretera. Lo recogió, temblando por el viento en aumento, y corrió hacia la cocina. Encendió el fuego bajo la cafetera todavía tibia. Luego, impaciente por echar una mirada a la página de anuncios clasificados, abrió rápidamente la segunda sección del periódico.

Sus ojos se fijaron en los grandes titulares y las fotografías... Todas las fotografías: la suya, las de Carl y Rob Legler; la suya con Peter y Lisa..., con aquella manera confiada que tenían de aferrarse a ella. Con un zumbido en sus oídos recordó vívidamente el momento en que posó para aquella foto. Carl la había tomado.

—No os fijéis en mí —dijo él—, haced como si no estuviese aquí.

Pero los niños sabían que él estaba allí y se habían acurrucado contra ella, y ella los miraba mientras Carl hacía la foto. Sus manos estaban tocando las dos cabezas oscuras y sedosas.

—¡No..., no..., no..., no...!

Su cuerpo se arqueó de dolor. Vacilante, alargó la mano, que golpeó la cafetera y la volcó. La recogió, sintiendo sólo débilmente el ardiente líquido que se derramaba sobre sus dedos.

Tenía que quemar el periódico. Michael y Missy no debían verlo. Eso. Quemaría el periódico para que nadie pudiese verlo. Corrió hacia la chimenea del comedor.

La chimenea... Ya no significaba alegría, calor y protección. Porque no había ningún puerto... Nunca podría haber un puerto para ella. Arrugó el periódico y, con un movimiento vacilante, buscó la caja de cerillas sobre la repisa. Un penachito de humo y llama, y luego el periódico empezó a arder mientras ella lo introducía entre los leños.

Todo el mundo en el Cabo estaba leyendo ese periódico. Sabrían..., todos sabrían. La única fotografía que con toda certeza reconocerían. Ni siquiera recordaba que nadie la hubiese visto después de haberse cortado y teñido el pelo. El papel ahora ardía brillantemente. Lo contempló mientras la fotografía con Peter y Lisa llameaba, se carbonizaba y enroscaba. Muertos los dos. Y mejor sería que ella se fuese con ellos. Ray podría cuidar a Michael y Missy. Mañana, en la clase de Michael, los niños le mirarían, susurrarían y le señalarían con el dedo.

Los niños. Debía salvar a los niños. No *recoger* a los niños. Esto era. Se enfriarían.

Se dirigió tambaleante hacia la puerta trasera y la abrió.

—Peter..., Lisa... —llamó.

¡No, no! Eran Michael y Missy. *Éstos* eran sus hijos.

—Michael, Missy. Venid. ¡Entrad ahora!

Su voz se convirtió en un grito. ¿Dónde estaban? Corrió al patio de atrás, sin preocuparse del frío que la mordía a través del ligero suéter.

El columpio. Debían de haber dejado el columpio. Probablemente estaban en el bosque.

—Michael, Missy. ¡Michael! ¡Missy! ¡No os escondáis! ¡Venid aquí ahora mismo!

El columpio aún se movía. El viento lo balanceaba. Entonces vio el guante. El guante de Missy prendido en los eslabones metálicos del columpio.

A lo lejos oyó un ruido. ¿Qué ruido? Los niños.

¡El lago! Debían de estar en el lago. No tenían que ir allí, pero quizá habían ido. Se les encontraría. Como a los otros. En el agua. Sus caras mojadas, hinchadas e inmóviles.

Agarró el guante de Missy, el guante con la cara sonriente, y se dirigió hacia el lago. Iba gritando sus nombres una y otra vez. Avanzó a través del bosque y salió a la playa arenosa.

En el lago, a lo lejos, algo brillaba bajo la superficie. ¿Era algo rojo..., otro guante..., la mano de

Missy? Se metió en el agua helada hasta los hombros y metió la mano. Pero no había nada allí. Alocada, Nancy unió los dedos a modo de cedazo, pero nada... Sólo el agua terriblemente fría, entumecedora. Miró hacia abajo, tratando de ver el fondo; se inclinó y cayó. El agua le borboteó en las ventanas de la nariz y en la boca y le quemó la cara y el cuello.

Se levantó como pudo y retrocedió antes de que sus ropas mojadas la hiciesen caer de nuevo. Se desplomó sobre la corteza helada que cubría la arena. Con un ensordecedor zumbido en sus oídos y la bruma cerrándose ante ella, miró hacia el bosque y le vio... Su rostro... ¿El rostro de *quién*?

La niebla se cerró completamente ante sus ojos. Los ruidos se alejaron; el triste chillido de la gaviota..., el chapoteo del agua... Silencio.

Fue allí donde la encontraron Ray y Dorothy. Sobre la arena, temblando fuera de sí, pegado el cabello a su cara y las ropas a su cuerpo; sus ojos vacíos; sin mirada. Se le levantaban furiosas ampollas en la mano, que apretaba un guantecito rojo contra su mejilla.

6

Jonathan lavó y enjuagó cuidadosamente los platos del desayuno, fregó la sartén y barrió la cocina. Emily era aseada de un modo natural, sin esfuerzo, y los años de vivir con ella le hicieron apreciar la comodidad intrínseca de la limpieza. Jonathan siempre colgaba las ropas en los armarios, ponía su ropa sucia en la canasta del cuarto de baño y lo limpiaba todo inmediatamente después de sus comidas solitarias. Incluso cuidaba de los detalles olvidados por la mujer de la limpieza, y los miércoles, cuando ella se iba, hacía pequeñas tareas lavando botes y chucherías y sacando brillo con cera a las superficies que ella había dejado empañadas.

En Nueva York, él y Emily vivieron en Sutton Place, en la esquina del sureste de la calle Cincuenta y cinco. El edificio donde vivían se había extendido sobre el F.D.R. Drive hasta la orilla del East River. A veces se sentaban en el balcón del piso 17 para contemplar las luces de los puentes sobre el río, hablando de cuando se retirasen al Cabo y contemplasen la vista del lago Maushop.

—No tendrás a Bertha todos los días para mantener la máquina en marcha —le decía él, atosigándola.

—Cuando vayamos allá, Bertha ya estará para retirarse y te nombraré a ti mi ayudante. Todo lo que necesitaremos realmente será una mujer para la limpieza un día a la semana. ¿Y tú qué? ¿Echarás de menos tener un coche que te recoja a la puerta cada vez que quieras?

Jonathan le contestó que tenía decidido comprarse una bicicleta.

—Lo haría ahora —dijo a Emily—, pero me temo que algunos de nuestros clientes podrían sobresaltarse si se dijera por allí que yo llegaba al trabajo en bicicleta.

—E intentarás escribir —instó Emily—. A veces pienso que ojalá hubieses aprovechado una oportunidad para hacerlo años atrás.

—Nunca hubiera podido permitírmelo, estando casado contigo —dijo él—. Esto es la guerra de una mujer contra la depresión. Toda la Quinta Avenida queda sin deudas cuando la señora Knowles va de compras.

—La culpa es tuya —replicó ella—. Siempre me has dicho que gaste tu dinero.

—Me gusta gastarlo en ti —aclaró él—, y no me quejo. He sido afortunado.

Si por lo menos hubiesen tenido unos pocos años para estar aquí juntos... Jonathan suspiró y colgó el paño de secar los platos. Ver a Nancy Eldredge y sus niños en el marco de la ventana, aquella mañana, le había deprimido vagamente. Quizá era por el tiempo, o el largo invierno que empezaba, pero estaba inquieto, receloso. Algo le inquietaba. Era la clase de comezón que solía sentir cuando preparaba un escrito y algunos hechos no encajaban.

Bueno, iría a su estudio a escribir. Estaba ansioso por trabajar en el capítulo de Harmon.

Hubiera podido tomarse el retiro anticipado, pensó mientras entraba lentamente en su estudio. Tal como fueron las cosas, eso es precisamente lo que había hecho, de todas maneras. Cuando perdió a Emily, vendió su apartamento de Nueva York, presentó su renuncia, asignó una pensión a Bertha y, como un perro que se lame las heridas, se vino a esta casa que habían escogido juntos. Después de la profunda pena del principio, encontró una cierta medida de satisfacción.

Ahora, escribir el libro era una experiencia fascinante y absorbente. Cuando tuvo la idea de hacerlo, pidió a Kevin Parks —un meticuloso investigador por cuenta propia y viejo amigo— que viniese a pasar un fin de semana. Entonces le describió su plan. Jonathan había elegido diez procesos criminales discutibles. Propuso a Kev que interviniese en el trabajo realizando un fichero de todo el material disponible sobre aquellos procesos: transcripciones del tribunal, declaraciones, noticias en los periódicos, fotografías, habladurías..., todo lo que pudiese encontrar. Jonathan se proponía estudiar a fondo cada ficha y luego decidir cómo escribiría el capítulo... Si expresaría su acuerdo con el veredicto o lo rechazaría, exponiendo sus razones. Titulaba el libro así: *Veredictos dudosos*.

Ya había terminado tres capítulos. El primero se titulaba «El proceso de Sam Sheppard». Su opinión: No culpable. Demasiadas escapatorias; supresión de demasiadas pruebas. Jonathan estaba de acuerdo con la opinión de Dorothy Kilgallen de que el jurado había encontrado a Sam Sheppard culpable de adulterio, no de asesinato.

El segundo capítulo era «El juicio de Cappolino». Marge Farger, en su opinión, debería estar en una celda de la cárcel con su antiguo amigo.

El capítulo apenas terminado era «El proceso de Edgar Smith». La opinión de Jonathan era que Edgar Smith era culpable pero ya merecía ser puesto en libertad. Catorce años constituyen hoy una cadena perpetua, y Smith se había rehabilitado e instruido en una terrible celda de Death Row.

Ahora Jonathan permanecía sentado ante su macizo escritorio y buscó en el cajón del archivo las gruesas carpetas de cartón que habían llegado el día anterior. Su rótulo: EL CASO HARMON.

Sujeta al primer sobre había una nota de Kevin que decía:

> Jon, tengo el presentimiento de que gozarás hincando el diente a éste. La acusada era pan comido para el fiscal; hasta su marido se presentó y, prácticamente, la acusó ante el jurado. Si algún día localizan al testigo que faltaba y la procesan de nuevo, será mejor que tenga una historia más creíble que la última vez. En la oficina del fiscal del distrito de allá

saben dónde está ella, pero no pude sacárselo; lo más que pude saber es que está en algún lugar del Este.

Jonathan abrió la carpeta con el pulso acelerado, lo que siempre se asociaba con el comienzo de un nuevo caso interesante. Nunca se permitía especular hasta haber recogido todas las investigaciones, pero el recuerdo que tenía de cuando este caso fue motivo de proceso, seis o siete años atrás, excitó su curiosidad. Recordó que en aquel tiempo sólo la lectura del testimonio del juicio había originado muchas preguntas en su mente... Preguntas en las que ahora quería concentrarse. Recordaba que su impresión general del caso Harmon había sido que Nancy Harmon nunca dijo todo lo que sabía sobre la desaparición de sus hijos.

Empezó a sacar de la carpeta, y extender sobre el escritorio, todos los papeles meticulosamente clasificados. Había fotografías de Nancy Harmon tomadas durante el proceso. Ciertamente, era una muchacha muy linda, con aquella cabellera hasta la cintura. Según los periódicos, tenía veinticinco años cuando fueron cometidos los asesinatos. Parecía todavía más joven..., no mucho mayor que una adolescente. Los vestidos que llevaba eran tan juveniles..., casi infantiles..., que aumentaban el efecto general. Probablemente su abogado le había sugerido que pareciese lo más joven posible.

Curioso: desde que empezó a proyectar este libro tuvo la sensación de haber visto a esa joven en alguna parte. Miró las fotografías que tenía delante. ¡Naturalmente! ¡Parecía una versión más joven de la esposa de Ray Eldredge! Esto explicaba el inquietante parecido. La expresión era totalmente diferente, pero ¿no diríamos que el mundo es muy pequeño, si resultara que hay entre ellas alguna relación familiar?

Su mirada cayó sobre la primera página mecanografiada, que daba una biografía de Nancy Harmon. Había nacido en California y crecido en Ohio. Bueno, esto dejaba fuera toda posibilidad de que fuese una pariente próxima de Nancy Eldredge. La familia de la esposa de Ray había sido vecina de Dorothy Prentiss en Virginia.

Dorothy Prentiss. Tuvo un instante de complacencia al pensar en la hermosa mujer que trabajaba con Ray. Jonathan se detenía a menudo junto a su oficina hacia las cinco, cuando recogía el diario de la tarde, el *Globe* de Boston. Ray le había sugerido ciertas interesantes inversiones en tierras y todas habían resultado buenas. También persuadió a Jonathan de que tomara parte en las actividades de la población, y como resultado se hicieron buenos amigos.

De todas maneras, Jonathan se daba cuenta de que iba a la oficina de Ray con más frecuencia de la necesaria. Ray decía: «Llega usted justo a tiempo para una copa de final del día», y llamaba a Dorothy para que los acompañara.

A Emily le habían gustado los daiquiris. Dorothy siempre tomaba la bebida favorita de Jonathan: un Rob Roy. Los tres se quedaban sentados durante cosa de media hora en el despacho privado de Ray.

Dorothy tenía un humor penetrante que a él le

gustaba. Su familia había sido gente dedicada al negocio de espectáculos y ella podía contar innumerables historias de sus viajes con la familia. Proyectó seguir también la carrera teatral, mas, después de representar tres pequeños papeles en Broadway, se casó y se estableció en Virginia. Después de la muerte de su marido, vino al Cabo con el plan de abrir una tienda de decoración de interiores, pero entonces empezó a trabajar con Ray. Decía Ray que Dorothy era una gran vendedora de fincas. Podía ayudar a la gente a imaginar las posibilidades de un lugar, por muy malo que pareciese a primera vista.

Últimamente, cada vez con más frecuencia, Jonathan jugaba con la idea de invitar a Dorothy a cenar con él. Los domingos eran largos y, recientemente, un par de tardes de domingo, había empezado a marcar el número de teléfono de Dorothy, pero no acabó de hacerlo. No quería precipitarse y comprometerse con alguien con quien se toparía constantemente. Y, simplemente, no estaba seguro. Quizá ella resultaba para él un poco demasiado enérgica. Todos aquellos años de vivir con la total feminidad de Emily le habían dejado mal preparado para reaccionar en lo personal ante una mujer terriblemente independiente.

¡Oh, Dios mío!, ¿qué le pasaba? Se distraía muy fácilmente esa mañana. ¿Por qué apartaba su pensamiento del caso Harmon?

Con resolución, encendió la pipa, tomó la carpeta y se reclinó en el asiento. Deliberadamente sacó la primera serie de papeles.

Transcurrió una hora y cuarto. El silencio no

fue interrumpido más que por el tictac del reloj, la creciente insistencia del viento a través de los pinos, frente a la ventana, y el ocasional resoplido de incredulidad de Jonathan. Finalmente, fruncido el ceño en la concentración, dejó los papeles y se dirigió lentamente a la cocina para hacerse café. Algo olía mal en todo ese proceso de Harmon. Por lo que se veía en la transcripción que había leído hasta ahora, era evidente que había algo dudoso allí, algo subyacente que hacía imposible reunir los hechos de alguna manera razonable y coherente.

Entró en la cocina, muy limpia, y con aire ausente llenó la cafetera hasta la mitad. Mientras esperaba que se calentase, se dirigió a la puerta frontal. El *Cape Cod Community News* estaba ya en el porche. Se lo metió bajo el brazo, puso una cucharadita de café instantáneo en una taza, añadió el agua hirviente, revolvió y empezó a sorber mientras con la otra mano volvía las páginas del periódico y ojeaba el contenido.

Casi había terminado el café cuando llegó a la segunda sección. La mano que sostenía la taza se detuvo a medio camino mientras su mirada se fijaba en la fotografía de la esposa de Ray Eldredge.

En aquel primer instante de comprensión, Jonathan aceptó tristemente dos hechos irrefutables: que Dorothy Prentiss le mintió deliberadamente al decirle que había conocido a Nancy de niña en Virginia; y que, retirado o no, debía quedarle lo suficiente de abogado para confiar en sus instintos. Subconscientemente, siempre había sospechado que Nancy Harmon y Nancy Eldredge eran una sola y misma persona.

7

Hacía mucho frío. Sentía en la boca un sabor a arena. Arena... ¿por qué? ¿Dónde estaba ella?

Podía oír a Ray llamándola, sentirle inclinarse sobre ella, abrazarla contra él.

—Nancy, ¿qué pasa? Nancy, ¿dónde están los niños?

Podía oír el miedo en su voz. Trató de levantar la mano, mas luego la sintió caer inerte a su lado. Trató de hablar, pero ninguna palabra se formaba en sus labios. Ray estaba allí, sin embargo ella no podía alcanzarlo con las manos.

Oyó que Dorothy decía:

—Levántela, Ray. Llévela a la casa. Hay que obtener ayuda para buscar a los niños.

Los niños. Tenían que encontrarlos. Nancy quería decir a Ray que los buscase. Sintió que sus labios intentaban pronunciar algo, pero las palabras no surgían de ellos.

—¡Oh, Dios mío!

Oyó la voz quebrada de Ray. Quiso decir: «No te preocupes por mí, no te preocupes por mí. Busca a los niños.» Pero no pudo hablar. Sintió que él la levantaba y la sostenía contra él.

—¿Qué le habrá pasado, Dorothy? —preguntó—. ¿Qué le pasa?

—Ray, tenemos que llamar a la policía.

—¡La policía! —Nancy, vagamente, pudo notar cierta resistencia en la voz de Ray.

—¡Naturalmente! Necesitamos ayuda para encontrar a los niños. ¡Ray, corra! Cada momento es precioso. No ve usted... No puede proteger a Nancy ahora. Todo el mundo la conocerá por la fotografía.

La fotografía. Nancy sintió que la llevaban. Se daba cuenta, remotamente, de que estaba temblando. Pero no era esto lo que tenía que pensar. Era su fotografía con el traje de paño que llevaba cuando la acusación fue rechazada. La habían sacado de la cárcel y llevado al tribunal. El Estado no la volvió a procesar. Carl había muerto y el estudiante que declaró contra ella había desaparecido, y por eso la soltaron.

El fiscal le dijo: «No crea que esto haya terminado. Aunque tenga que dedicarle el resto de mi vida, encontraré la manera de presentar una acusación que pueda mantenerse.» Y con esas palabras golpeándola, salió de la sala del tribunal.

Posteriormente, tras haber recibido permiso para salir del estado, se hizo cortar y teñir el pelo y fue de compras. Siempre había odiado la clase de vestidos que a Carl le gustaba que llevara y se compró un traje de tres piezas y un jersey marrón de cuello de cisne. Usaba todavía la chaqueta y los pantalones; los llevó, yendo de compras, la última semana. Ésta era otra razón por la que la fotografía fuera tan reconocible. La fotografía había sido tomada en la terminal del autobús; es allí donde ella estuvo.

No supo que nadie estuviese tomándole una fotografía. Había salido en el último autocar de la noche para Boston. En la terminal no había mucha gente y nadie se fijó en ella. Creyó verdaderamente que podría alejarse e intentar volver a empezar. Mas alguien había estado esperando para reanudar todo aquello.

«Quiero morir —pensó—. Quiero morir.»

Ray andaba deprisa, pero tratando de abrigarla con su chaqueta. El viento la mordía a través de las ropas mojadas. Él no podía protegerla; ni siquiera él podía protegerla. Era demasiado tarde... Quizá siempre había sido demasiado tarde. Peter y Lisa, Michael y Missy. Todos idos... Era demasiado tarde para todos ellos.

No, no, no. Michael y Missy. Estaban aquí poco antes. Jugando. En el columpio, y el guante estaba allí. Michael no dejaría a Missy. La cuidaba mucho. Sería como la última vez. Como la última vez; y los encontrarían de la manera que encontraron a Peter y Lisa, con húmedas hierbas acuáticas y pedazos de plástico sobre sus caras, en su cabello y en sus cuerpos hinchados.

Deben estar en casa. Dorothy abría la puerta y decía:

—Llamaré a la policía, Ray.

Nancy sintió que la oscuridad la envolvía de nuevo. Empezó a deslizarse hacia atrás, alejándose... No..., no..., no...

8

¡Oh, qué actividad! ¡Oh, qué manera de correr por allí como hormigas: escudriñando todos ellos la casa y el patio de Nancy! Se lamió los labios, ansioso. Los tenía secos, mientras todo el resto estaba húmedo: sus manos, pies, ingles, axilas. El sudor se le escurría por el cuello y la espalda.

En cuanto estuvo de vuelta en la gran casa, metió a los niños adentro y los subió a la habitación del catalejo. Allí podría vigilarlos y hablarles cuando despertaran, y tocarlos.

Quizá daría un baño a la niña y la secaría con una toalla bien suave, la frotaría con polvos y la besaría. Tenía todo el día para dedicarse a los niños. Todo el día; la marea no subiría hasta las siete de la tarde. Entonces ya sería de noche y no habría nadie por allí cerca que pudiese ver u oír. Pasarían días antes de que fuesen devueltos por las aguas. Sería como la otra vez.

Era un gozo tan grande tocarlos, sabiendo que

estarían interrogando a su madre en estos momentos... «¿Qué hizo usted con los niños?», le preguntarían.

Vio más coches de la policía subir en enjambre por el camino de tierra hasta el patio posterior. Pero algunos pasaban de largo ante la casa. ¿Por qué muchos iban hacia el lago Maushop? Claro. Creían que ella había llevado a los niños allí.

Se sintió maravillosamente satisfecho. Aquí podía ver todo lo que sucedía sin riesgo, perfectamente seguro y cómodo. Se preguntó si Nancy estaría llorando. No había llorado ni una vez durante el proceso hasta el final, cuando el juez la condenó a la cámara de gas. Entonces empezó a sollozar y hundió la cara entre las manos para ahogar el ruido. Los guardias del tribunal le pusieron las esposas y su larga cabellera se esparció hacia adelante, cubriendo su rostro mojado por las lágrimas, mientras miraba desesperadamente a los rostros hostiles.

Recordaba la primera vez que la vio atravesando el patio de la universidad. Inmediatamente se sintió atraído por ella... por la manera en que el viento agitaba sus cabellos de oro rojizo en torno a sus hombros, por su rostro delicadamente formado, sus dientes pequeños, blancos y regulares, sus grandes y hechiceros ojos azules que miraban gravemente bajo las espesas cejas y las oscuras pestañas.

Oyó un sollozo. ¿Nancy? Claro que no. Venía de la niña. La hija de Nancy. Volvió la espalda al catalejo y la miró con resentimiento. Pero su expresión se transformó en una sonrisa mientras la contemplaba. Esos rizos húmedos sobre su frente; la recta, menuda nariz; la piel blanca... Se parecía mucho a Nancy. Ahora gemía al empezar a despertarse. Bueno, era tiempo ya de que la droga dejase de producir efecto; habían estado inconscientes durante casi una hora.

Lamentándolo, abandonó el catalejo. Había dejado a los niños en los extremos opuestos del diván de tercipelo que olía a moho. La niña lloraba ahora angustiada.

—Mamá... Mamá...

Sus ojos permanecían cerrados. La boca, abierta... ¡Su minúscula lengua era tan rosada! Las lágrimas resbalaban por sus mejillas.

La sentó y le desabrochó la chaqueta. La niña se encogió, apartándose de él.

—Vamos, vamos... —susurró él, tranquilizador—. Todo va bien.

El niño se agitó y finalmente despertó también. Sus ojos seguían asustados, igual que cuando vio al hombre en el patio. Ahora se sentó lentamente.

—¿Quién es usted? —preguntó. Se frotó los ojos, meneó la cabeza y miró a su alrededor—. ¿Dónde estamos?

Un niño que articulaba bien..., hablaba bien..., con voz clara y bien modulada. Esto era bueno. Los niños bien criados eran más fáciles de manejar. No alborotaban. Como les han enseñado el respeto hacia los mayores, tienden a ser dóciles. Como los otros. Fueron con él tan tranquilamente, aquel día. Se arrodillaron en el maletero del vehículo sin discutir, cuando les dijo que iban a gastar una broma a mamá.

—Es un juego —dijo a este niño—. Soy un viejo amigo de tu mamá y ella quiere hacer un juego para su cumpleaños. ¿Sabías que hoy es su cumpleaños?

Mientras hablaba iba acariciando a la niña. Se sentía suave y agradable.

El niño, Michael, parecía dudar.

—No me gusta este juego —declaró con firmeza. Luego, vacilante, se puso de pie. Empujó a un lado las manos que estaban tocando a Missy y abrió sus brazos a la niña. Ella se aferró a él—. No llores, Missy —dijo con voz tranquilizadora—. No es más que un juego tonto. Ahora iremos a casa.

Era evidente que no se dejaría engañar con facilidad. El niño tenía la expresión cándida de Ray Eldredge.

—No jugaremos a ninguno de sus juegos —añadió—. Queremos ir a casa.

Había una manera maravillosa de hacer que el niño cooperase.

—Suelta a tu hermana —le ordenó—. Vamos, dámela. —La arrancó de los brazos del niño. Con la otra mano asió la muñeca de Michael y le arrastró hacia la ventana—. ¿Qué es un catalejo? ¿Lo sabes?

Michael asintió, vacilante.

—Sí. Es como los prismáticos que tiene mi papá. Hace las cosas más grandes.

—Exacto. Eres muy listo. Ahora mira por aquí. —El niño acercó el ojo a la lente—. Ahora dime lo que ves... No, cierra el otro ojo.

—Veo mi casa.

—¿Qué hay allí?

—Hay muchos coches..., coches de la policía. ¿Qué pasa?

La alarma le hizo temblar la voz. El hombre miró, feliz, la carita preocupada. Un leve ruido vino de la ventana. Empezaba a cellisquear. El viento lanzaba contra los cristales unas bolitas duras. Pronto la visibilidad sería muy mala. Aun con el catalejo sería difícil ver mucho. Pero podría pasar un rato maravilloso con los niños... La larga tarde toda entera. Y sabía cómo hacer que el niño obedeciese.

—¿Sabes qué es estar muerto? —preguntó.

—Quiere decir ir con Dios —contestó Michael.

Él movió la cabeza aprobando.

—Eso es. Y esta mañana tu madre se fue con Dios. Por eso están allí todos los coches de la policía. Tu papá me pidió que os cuidase durante un rato y dijo que tú fueses bueno y me ayudaras a cuidar a tu hermana.

Parecía que Michael iba a llorar también. Sus labios temblaban cuando dijo:

—Si mi mamá se fue con Dios, yo quiero ir también.

Pasando los dedos por el pelo de Michael, meció a Missy, que aún gemía.

—Irás —le prometió al niño—. Esta noche. Te lo prometo.

9

Las primeras noticias fueron telegrafiadas a mediodía, a tiempo para las emisiones informativas de todo el país. Los locutores de las emisoras, afanosos por tener una noticia, se apoderaron de ésta y, deprisa y corriendo, mandaron periodistas a los archivos en busca de las reseñas del proceso de Nancy Harmon por asesinato.

Los periódicos fletaron aviones con objeto de mandar a Cape Cod a sus más hábiles reporteros de crímenes.

En San Francisco, dos ayudantes del fiscal del distrito escuchaban las noticias. Uno dijo al otro:

—¿No he dicho siempre que esa perra era tan culpable como si yo la hubiese visto matar a los niños con mis propios ojos? ¿No lo he dicho? Entonces, por Dios que, si no la declaran culpable, pediré permiso para ausentarme y personalmente registraré todo el globo terráqueo para dar con ese tipo Legler y traerlo aquí a declarar contra ella.

En Boston, el doctor Lendon Miles gozaba el principio de su descanso del mediodía. La señora Markley acababa de salir. Después de un año de terapia intensa, finalmente empezaba a ver dentro de sí misma con claridad. Pocos minutos antes había hecho una observación curiosa; había estado comentando un episodio de cuando tenía catorce años y dijo:

—¿Se da cuenta de que gracias a usted estoy reviviendo la adolescencia y cambiando de vida todo a la vez? ¡Vaya negocio!

Sólo unos pocos meses antes no habría hecho semejante observación.

A Lendon Miles le gustaba su profesión. Para él la mente era un fenómeno delicado, difícil, un misterio que podía ser descifrado solamente por medio de una serie de revelaciones infinitamente pequeñas..., cada una de las cuales conducía, con lentitud y paciencia, a la siguiente. Suspiró. Su paciente de las diez se hallaba en el primer período del análisis y se había mostrado extremadamente hostil.

Abrió la radio al lado de su escritorio para captar el resumen de las noticias del mediodía y llegó a tiempo para oír la información.

La sombra de una antigua pena cubrió su rostro. Nancy Harmon... La hija de Priscilla. Pasados catorce años podía aún ver a Priscilla claramente: el cuerpo esbelto y elegante, la manera de erguir la cabeza, la sonrisa que se movía como el mercurio.

Había empezado a trabajar con él un año después de la muerte de su marido. Tenía entonces treinta y ocho años, dos menos que él. Casi inmediatamente empezó a llevarla a cenar cuando trabajaban hasta tarde, y pronto se dio cuenta de que por primera vez en su vida la idea del matrimonio le parecía lógica e incluso esencial. Hasta que conoció a Priscilla, el trabajo, el estudio, los amigos y la libertad le habían bastado; simplemente, nunca había encontrado a nadie que le hiciese desear la alteración de su *statu quo.*

Gradualmente, ella le habló de sí misma. Casada después de su primer año universitario con un piloto de unas líneas aéreas, tenía una hija única. Evidentemente, el matrimonio había sido feliz. Luego, en un viaje a la India, su esposo contrajo una neumonía viral y murió en veinticuatro horas.

—Fue muy duro aceptarlo —le confesó Priscilla—. Dave había volado un millón de kilómetros. Superó centenares de tormentas. Y, entonces, algo tan totalmente inesperado... Ignoraba que aún moría gente de neumonía...

Lendon nunca conoció a la hija de Priscilla. Se había ido a San Francisco para asistir a la escuela, poco después de que Priscilla comenzara a trabajar con él. Priscilla explicó sus razones para mandar a su hija tan lejos.

—Se pegaba demasiado a mí. —Priscilla estaba preocupada—. ¡Ha tomado tan mal la muerte de Dave! Quiero que sea feliz y joven, y que se aleje del clima de aflicción que creo se cierne sobre nosotras. Yo fui a Aurberley y conocí a Dave mientras estaba allí. Allí Nancy asistió conmigo a reuniones, de manera que no resultará demasiado extraño para ella.

En noviembre Priscilla se tomó un par de días

de asueto para visitar a Nancy en el *college*. Lendon la llevó en coche al aeropuerto. Durante unos minutos esperaron juntos que anunciasen su vuelo.

—Naturalmente, ya sabe usted que la echaré mucho de menos —le dijo él.

Llevaba una chaqueta de gamuza marrón oscuro que hacía resaltar su rubia belleza de patricio.

—Así lo espero —repuso ella, y sus ojos se nublaron—. ¡Estoy tan preocupada! Últimamente las cartas de Nancy muestran una honda depresión. Estoy terriblemente asustada. ¿Tuvo usted nunca la sensación de que algo horrible la amenazaba?

Después, cuando él la miró fijamente, ambos se echaron a reír.

—Ya ve por qué no me atreví a hablar de esto antes —manifestó ella—. Sabía que pensaría usted que estoy loca.

—Al contrario, mi experiencia me ha enseñado a apreciar el valor de los presentimientos, solamente que yo los llamo intuición. Pero, ¿por qué no me dijo usted que estaba tan preocupada? Quizá hubiera ido con usted. Sólo siento no haber conocido a Nancy antes de que se fuera.

—¡Oh, no! Probablemente es que yo soy como una gallina clueca. De todas maneras, usaré el cerebro de usted cuando vuelva.

Sin saber cómo, sus dedos se habían enlazado.

—No se preocupe. Todos los jóvenes se enderezan; y si hay algún problema verdadero, si usted me necesita, volaré allá el fin de semana.

—No le molestaría...

Del altavoz salió una voz impersonal:

—Vuelo cinco seis nueve para San Francisco...

—Priscilla, por el amor de Dios, ¿no comprende que la amo?

—Me alegro... Pienso... Sé... Yo también le amo.

Su último momento juntos. Un principio... Una promesa de amor.

Ella le llamó por teléfono la noche siguiente para decirle que estaba preocupada y tenía que hablarle. Estaba cenando con Nancy, pero llamaría de nuevo tan pronto como volviese al hotel. ¿Estaría él en casa?

Estuvo esperando la llamada toda la noche, pero nunca llegó. Ella no regresaría a su hotel. Al día siguiente él se enteró del accidente. El freno del coche que había alquilado falló, precipitándose éste en una zanja.

Probablemente, él debería haber ido junto a Nancy. Mas cuando, finalmente, obtuvo comunicación con el lugar donde ésta se hospedaba, habló con Carl Harmon, el profesor, quien le aseguró que Nancy y él se proponían contraer matrimonio. Parecía muy competente y perfectamente dueño de la situación. Nancy no volvería a Ohio. Durante la cena habían comunicado sus planes a la madre. La señora Kiernan se mostró preocupada por la juventud de Nancy, pero esto era natural. Sería enterrada allá, junto a su marido; después de todo, la familia había residido en California durante tres generaciones, hasta la infancia de Nancy. Ella lo soportaba bien. Lo mejor, en estas circunstancias, sería celebrar una boda sencilla inmediatamente. Nancy no debía estar sola ahora.

No había nada que pudiese hacer Lendon. ¿Qué hubiera podido hacer? ¿Decir a Nancy que él y su madre se habían enamorado? Lo más probable era que ella, simplemente, sintiera resentimiento contra él. Ese profesor Harmon parecía una buena persona; indudablemente, Priscilla se había preocupado sólo porque Nancy iba a dar un paso tan decisivo como el matrimonio, y a poco de cumplir los dieciocho años. Pero ciertamente no había nada que él, Lendon, pudiese hacer en cuanto a esa decisión.

Aceptó de buen grado el ofrecimiento de dar clases en la Universidad de Londres. Por esta razón había estado fuera del país y no se enteró del proceso Harmon por asesinato hasta que todo había terminado.

Fue en la Universidad de Londres donde conoció a Allison, que era profesora allí. La sensación de participar en una vida en común que Priscilla había empezado a enseñarle hizo imposible que él volviera a su vida ordenada, solitaria..., egoísta. De vez en cuando se preguntaba dónde habría ido a parar Nancy Harmon. Él vivió en el área de Boston durante los dos últimos años, y Nancy se encontraba sólo a hora y media de distancia. Quizá ahora podría compensar de alguna manera el modo en que antes le había fallado a Priscilla.

Sonó el teléfono. Un instante después, la luz de comunicación parpadeó en éste. Levantó el receptor.

—La señora Miles está al aparato, doctor —dijo su secretaria.

La voz de Allison sonaba llena de preocupación.

—Querido, ¿has oído por casualidad las noticias sobre la muchacha Harmon?

—Sí, las oí.

Él había hablado a Allison de Priscilla.

—¿Qué harás?

La pregunta de Allison cristalizaba la decisión que él ya había tomado subconscientemente.

—Lo que debía haber hecho años atrás. Trataré de ayudar a esa muchacha. Te llamaré tan pronto como pueda.

—Dios te bendiga, querido.

Lendon tomó el teléfono interior y habló, crispado, a su secretaria.

—Pida al doctor Marcus que se encargue de mis compromisos de la tarde, por favor. Dígale que es por algo urgente. Y anuncie que no podré dar mi clase de las cuatro. Me voy inmediatamente a Cabo Cod.

10

—Hemos empezado a dragar el lago, Ray. Hemos dado aviso por la radio y la televisión y estamos recibiendo propuestas de ayuda de todas partes para colaborar en la búsqueda.

El jefe Jed Coffin, de la policía de Adams Port, trataba de adoptar el tono animado que usaría normalmente si dos niños se hubiesen perdido.

Pero, aun viendo la angustia en los ojos de Ray y la palidez cenicienta de su rostro, era difícil que las palabras sonaran tranquilizadoras y solícitas. Ray le había engañado: le presentó a su esposa, habló de que ella procedía de Virginia y de que conoció allí a Dorothy. Le había inundado de palabras y ni una sola vez dijo la verdad. Y el jefe no había adivinado..., ni siquiera sospechado. Esto motivaba su verdadera irritación. Ni una vez había sospechado.

Para el jefe Coffin, lo que había sucedido era muy claro. Esa mujer había visto el artículo sobre ella en el periódico, comprendió que todo el mundo sabría quién era y se había trastornado. Hizo con esos pobres niños lo mismo que había hecho con los otros. Observando atentamente a Ray, adivinó que éste creía en algo parecido.

Algunos restos carbonizados del periódico de la mañana se hallaban todavía en la chimenea. El jefe se dio cuenta de que Ray los miraba. Por los bordes desiguales de las partes no quemadas, resultaba evidente que los había desgarrado alguien presa de frenesí.

—¿El doctor Smathers está todavía arriba con ella?

Había una inconsciente descortesía en la pregunta. Hasta entonces siempre había llamado a Nancy «señora Eldredge».

—Sí. Va a ponerle una inyección para calmarla, pero no para dejarla inconsciente. Tenemos que hablar con ella. ¡Oh, Dios mío!

Ray se sentó a la mesa del comedor y hundió su rostro entre las manos. Sólo unas pocas horas antes Nancy había estado sentada en esta silla con Missy en los brazos mientras Mike le preguntaba: «¿Es de veras tu cumpleaños, mamá?» ¿Había él desencadenado alguna reacción en Nancy al pedirle la celebración...? Y luego ese artículo. ¿Había...?

—¡No!

Ray levantó los ojos y parpadeó, volviendo la cabeza para no ver al policía de pie junto a la puerta trasera.

—¿Qué hay? —preguntó el jefe Coffin.

—Nancy es incapaz de hacer daño a los niños. Sea lo que sea lo que sucedió, no es esto.

—Su esposa, en estado normal, no les haría ningún daño; pero yo he visto a mujeres que perdían el control de sí mismas, y cuentan que...

Ray se levantó. Sus manos asieron el borde de la mesa. Su mirada iba más allá del jefe, haciendo caso omiso de éste.

—Necesito ayuda —dijo—. Verdadera ayuda.

La estancia estaba hecha un caos. La policía había hecho un registro rápido de la casa antes de concentrarse en lo de fuera. Un fotógrafo de la policía estaba todavía tomando fotografías de la cocina, donde la cafetera había caído, derramando chorros de café negro sobre el hornillo y por el suelo. El teléfono sonaba incesantemente. A cada llamada, el agente que contestaba decía:

—El jefe hará una declaración más tarde.

El agente que estaba al teléfono se acercó a la mesa.

—Era el fiscal —dijo—. Los servicios de telégrafos se han apoderado de este hecho. Tendremos a una multitud aquí dentro de una hora.

Los servicios de telégrafos. Ray recordó la expresión de terror que sólo gradualmente había desaparecido del rostro de Nancy. Pensó en la fotografía que aparecía en el periódico de esta mañana, con su mano levantada como si tratase de parar golpes. Pasó al lado del jefe Coffin, corrió hacia arriba y abrió la puerta del dormitorio principal. El doctor estaba sentado junto a Nancy, asiéndole las manos.

—Usted puede oírme, Nancy —decía—. Sabe que puede oírme. Ray está aquí. Está muy preocupado por usted. Háblele, Nancy.

Sus ojos estaban cerrados. Dorothy había ayudado a Ray a quitarle las ropas mojadas. Le habían puesto un camisón amarillo aterciopelado, pero dentro de él parecía curiosamente pequeña e inerte..., en nada diferente de una niña.

Ray se inclinó sobre ella.

—Cariño, por favor, tienes que ayudar a los niños. Tenemos que encontrarlos. Te necesitan. Inténtalo, Nancy..., por favor, inténtalo.

—Ray, yo no lo haría —le aconsejó el doctor Smathers. Su rostro, sensible, tenía profundas arrugas—. Ha sufrido alguna clase de impresión terrible... Sea la lectura del artículo o algo más. Su mente está luchando para enfrentarse a ello.

—Pero tenemos que saber qué fue —insistió Ray—. Quizá, incluso, ella viera a alguien que se llevaba a los niños. Nancy, lo sé. Lo comprendo. No importa lo del periódico. Nos enfrentaremos a esto juntos. Pero, querida, ¿dónde están los niños? Debes ayudarnos a encontrarlos. ¿Crees que se fueron al lago?

Nancy se estremeció. Un grito ahogado salió de algún lugar de su garganta. Sus labios formaron palabras:

—Encuéntralos..., encuéntralos.

—Los encontraremos. Pero tú debes ayudar, por favor. Cariño, te ayudaré a sentarte. Puedes hacerlo. Vamos.

Ray se inclinó y la sostuvo en sus brazos. Vio la piel magullada en su cara, donde la arena la había quemado. Había todavía arena mojada pegada a sus cabellos. ¿Por qué? A menos...

—Le puse una inyección —dijo el doctor—.

Debería aliviarle la angustia, aunque no será suficiente para dormirla.

Se sentía pesada y vaga. Así era como se había sentido durante largo tiempo..., desde la noche en que murió su madre..., o quizá incluso antes de aquello... Tan indefensa, tan dúctil..., tan incapaz de elegir, de moverse o, siquiera, de hablar. Podía recordar cuántas noches sus ojos habían permanecido pegados..., tan pesada, tan cansada. Carl había sido muy paciente con ella. Lo había hecho todo por ella. Nancy siempre se había dicho que debía ser fuerte, que tenía que superar ese terrible letargo, pero nunca pudo.

Sin embargo, de eso hacía mucho tiempo. Ya no pensaba más en ello..., ni en Carl, ni en los niños, ni en Rob Legler, el apuesto estudiante a quien parecía gustar, que la hacía reír. Los niños se mostraban muy alegres cuando él estaba allí, muy felices. Había creído que era un verdadero amigo..., pero luego se sentó en el banquillo de los testigos y declaró: «Me dijo que sus niños serían ahogados. Esto es exactamente lo que dijo cuatro días antes de que desaparecieran.»

—Nancy. Por favor, Nancy. ¿Por qué fuiste al lago?

Ella oyó su propio sonido sofocado. El lago. ¿Fueron allá los niños? Tenía que buscarlos.

Sintió que Ray la levantaba, y se dejó caer contra él, pero luego obligó a su cuerpo a sentarse. Sería más fácil dejarse deslizar, resbalar en el sueño, como solía hacer.

—Eso es. Está bien, Nancy —Ray miró al doctor—. ¿Cree usted que una taza de café...?

El doctor asintió.

—Pediré a Dorothy que lo prepare.

Café. Estaba haciendo café cuando vio aquella fotografía en el periódico. Nancy abrió los ojos.

—Ray —susurró—, lo sabrán. Todo el mundo lo sabrá. No puedes ocultar..., no puedes ocultar. —Pero había algo más—. Los niños. —Apretó el brazo de Ray—. Ray, encuéntralos..., encuentra a mis niños.

—Calma, cariño. Aquí es donde te necesitamos. Tienes que decírnoslo absolutamente todo. Procura sostenerte durante algunos minutos.

Dorothy entró con una taza de café humeante en la mano.

—Lo hice instantáneo. ¿Cómo está?

—Reponiéndose.

—El capitán Coffin está impaciente por empezar a interrogarla.

—¡Ray!

El pánico hizo que Nancy agarrara el brazo de Ray.

—Querida, es sólo que necesitamos ayuda para encontrar a los niños. Así está bien.

Sorbió el café y le sentó bien, al tragarlo, el sabor caliente. Si por lo menos pudiese pensar..., despertar..., perder esa terrible somnolencia.

Su voz. Ahora podía hablar. Sentía los labios como de goma, gruesos, esponjosos. Pero tenía que hablar..., hacer que encontraran a los niños. Quería bajar. No debía quedarse aquí..., como la otra vez..., esperando en su habitación..., incapaz de bajar..., de ver a toda la gente abajo..., los policías..., las esposas de los profesores de la facultad...

¿Tiene algún pariente...? ¿Quiere que llamemos a alguien...? Nadie..., nadie..., nadie...

Apoyándose pesadamente en el brazo de Ray, se levantó vacilante. Ray. Ahora tenía su brazo para apoyarse. Sus hijos, sus hijos.

—Ray... Yo no les hice daño...

—Claro que no, querida.

La voz, demasiado suavizante..., el tono de la conmoción. Naturalmente, él estaba conmovido. Se preguntaba por qué ella lo negaría. Ninguna buena madre habla de dañar a sus hijos. ¿Por qué, pues, ella...?

Con un supremo esfuerzo se arrastró hacia la puerta. El brazo de Ray en torno a su cintura la sostenía en sus pasos. No podía sentir sus pies. No estaban allí. Era una de sus pesadillas. Dentro de unos minutos despertaría, como tantas noches, y saltaría de la cama e iría a ver a Missy y a Michael, y los arroparía y luego volvería a acostarse..., suavemente, silenciosamente, sin despertar a Ray. Pero él, dormido, habría alargado los brazos y se la habría acercado; y, en contacto con el tibio olor de Ray, se habría calmado y dormido.

Empezaron a bajar la escalera. Muchos policías. Todos miraban hacia arriba..., curiosamente inmóviles..., suspendidos en el tiempo.

El jefe Coffin estaba sentado ante la mesa del comedor. Nancy pudo sentir su hostilidad... Era como la otra vez.

—Señora Eldredge, ¿cómo se siente usted?

Una pregunta superficial, sin interés. Probablemente no se hubiera molestado en preguntarlo si Ray no estuviese aquí.

—Estoy bien.

Nunca le había gustado este hombre.

—Estamos buscando a los niños. Tengo entera confianza en que los encontraremos pronto. Pero debe ayudarnos. ¿Cuándo vio usted por última vez a los niños?

—Pocos minutos antes de las diez. Les hice salir a jugar y luego me fui arriba a hacer las camas.

—¿Cuánto tiempo estuvo usted arriba?

—Diez minutos..., no más de quince.

—Luego, ¿qué hizo usted?

—Bajé. Iba a poner en marcha la lavadora y llamar a los niños. Pero, después de puesta en marcha la lavadora, decidí calentar café. Entonces vi al muchacho que dejaba el periódico de la comunidad.

—¿Habló usted con él?

—No. No quiero decir que le *vi*. Fui a recoger el periódico cuando él doblaba precisamente la esquina.

—Ya. ¿Qué sucedió entonces?

—Volví a la cocina. Encendí el fuego bajo la cafetera... Todavía estaba bastante caliente. Empecé a hojear el periódico.

—Y vio el artículo acerca de usted.

Nancy miró hacia adelante y afirmó con la cabeza.

—¿Cómo reaccionó usted al ver aquel artículo?

—Creo que me puse a chillar... No sé...

—¿Qué le pasó a la cafetera?

—La volqué... El café se derramó. Me quemé la mano.

—¿Por qué hizo usted eso?

—No sé. No tuve la intención de hacerlo. Fue solamente que iba a estallar. Sabía que todo el mundo empezaría a mirarme otra vez. Me mirarían y susurrarían. Dirían que maté a mis hijos. Y Michael no debía ver nunca eso. Corrí con el periódico. Lo metí en la chimenea. Encendí una cerilla y el papel ardió..., empezó a arder..., y supe que debía tener conmigo a Michael y a Missy... Tenía que ocultarlos. Pero era igual que la otra vez. Cuando los niños desaparecieron. Corrí afuera al encuentro de Michael y Missy. Tenía miedo.

—Veamos, esto es importante. ¿Vio usted a los niños?

—No. Habían desaparecido. Empecé a llamarlos. Corrí hacia el lago.

—Señora Eldredge, esto es muy importante. ¿Por qué fue usted al lago? Su marido me dice que los niños nunca han dejado de obedecer la prohibición de ir allá. ¿Por qué no los buscó en la carretera, o en el bosque? ¿Por qué no se preguntó si no habrían decidido irse a la población para comprarle a usted un regalo de cumpleaños? ¿Por qué el lago?

—Porque tenía miedo. Porque Peter y Lisa murieron ahogados. Porque tenía que encontrar a Michael y Missy. El guante de Missy estaba prendido en el columpio. Siempre pierde algún guante. Corrí hacia el lago. Tenía que encontrar a los niños. Va a pasar igual que la otra vez... Sus caras mojadas e inmóviles... Y no me hablarán...

Su voz se arrastraba. El jefe Coffin se irguió y tomó un tono oficial.

—Señora Eldredge —dijo—, es mi deber informarla de que tiene usted derecho a consejo legal antes de contestar más preguntas, y de que todo lo que diga puede ser esgrimido contra usted.

Sin esperar su respuesta, se levantó, salió de la estancia y se dirigió a la puerta posterior. Un coche con un agente al volante le estaba esperando en la avenida, detrás de la casa. Al salir, le azotaron la cara y la cabeza los finos y errantes copos de aguanieve. Se metió en el coche y la puerta, al cerrarse tras él a causa del viento, le golpeó el pie. Hizo una mueca al sentir el breve dolor en el tobillo y gruñó:

—Al lago.

Poca oportunidad tendrían de realizar ninguna búsqueda si el tiempo empeoraba. A mediodía había ya tanta oscuridad, que uno creería que era de noche. La operación de buceo era un lío aun en óptimas condiciones. Maushop era uno de los lagos más grandes del Cabo y uno de los más profundos y traidores. Por eso, en el curso de los años, se habían ahogado tantos allí. Uno podía estar vadeando con el agua a la cintura y un paso más adelante se hallaba con doce metros de agua. Si esos niños se habían ahogado, puede que llegara la primavera antes de que sus cuerpos salieran a la superficie. Del modo en que bajaba la temperatura, dentro de pocos días el lago estaría en condiciones de que se pudiera patinar en él.

La orilla del lago, normalmente desierta en aquella época del año y, ciertamente, con ese mal tiempo, estaba llena de mirones que se arracimaban en pequeños grupos, contemplando silenciosamente la zona acordonada donde los agentes de la policía rodeaban a los buzos y sus aparatos.

El jefe Coffin saltó del coche y corrió a la playa. Fue directamente hacia Pete Regan, el teniente que vigilaba la operación. El elocuente gesto de Pete encogiéndose de hombros contestó su pregunta no pronunciada.

El jefe, encogiendo sus hombros bajo la chaqueta, golpeó el suelo con los pies mientras la cellisca se derretía dentro de sus zapatos. Se preguntó si era aquél el lugar desde donde Nancy Eldredge había arrastrado a sus niños al agua. Ahora, por culpa de ella, unos hombres arriesgaban sus vidas. Sólo Dios sabía dónde y cuándo serían encontrados esos pobres niños. Cosas que pasan... Una cuestión técnica... Una asesina convicta sale libre porque un picapleitos logra que un par de jueces de corazón blando declaren nulo el juicio.

Colérico, llamó a Pete. Éste se volvió hacia él rápidamente.

—¿Señor?

—¿Cuánto tiempo piensan seguir buceando esos tipos?

—Han bajado dos veces y, después de esta sesión, probarán una vez más; luego se tomarán un descanso y empezarán en otro punto. —Señaló hacia el equipo de la televisión—. Parece que esta noche llenaremos los titulares. Será mejor que tenga usted preparada su declaración.

Con los dedos entumecidos, el jefe buscó en el bolsillo de la chaqueta.

—He garabateado ya una. —La leyó rápidamente—. Estamos haciendo un esfuerzo masivo para encontrar a los niños Eldredge. Hay voluntarios registrando manzana a manzana la vecindad inmediata a la casa, así como las lindantes zonas del bosque. Se hace un reconocimiento aéreo con helicópteros. El rastreo del lago Maushop, por su proximidad a la casa de los Eldredge, debe considerarse una operación normal de la investigación.

Pero unos minutos más tarde, cuando hizo esta declaración al creciente apiñamiento de reporteros, uno de ellos preguntó:

—¿Es cierto que Nancy Eldredge fue encontrada histérica y empapada en esta parte del lago Maushop, esta mañana, después de haber desaparecido los niños?

—Es cierto.

Un periodista delgado, de mirada aguda, de quien sabía que estaba conectado con el equipo informativo del Canal 5 de Boston, preguntó:

—En vista de este hecho y de su historia pasada, ¿no toma un nuevo aspecto el rastreo de este lago?

—Exploramos todas las posibilidades.

Las preguntas de los reporteros —que se interrumpían unos a otros para hacerlas— llegaban ahora seguidas y rápidas.

—En vista de la pasada tragedia, ¿no se considerará de origen sospechoso la desaparición de los niños Eldredge?

—Contestar a esta pregunta perjudicaría los derechos de la señora Eldredge.

—¿Cuándo la interrogará usted de nuevo?

—Tan pronto como sea posible.

—¿Se sabe si la señora Eldredge vio el artículo de esta mañana acerca de ella?

—Creo que lo vio.

—¿Cuál fue su reacción ante ese artículo?

—No puedo decirlo.

—¿No es un hecho que la mayoría de la gente de esta población, si no toda, ignoraba el pasado de la señora Eldredge?

—Es verdad.

—¿Conocía usted su identidad?

—No. Yo no —el jefe habló entre dientes—. Basta de preguntas.

Entonces, antes de que pudiera alejarse, surgió otra pregunta. Un periodista del *Boston Herald* le cerró el paso. Todos los demás informadores se detuvieron tratando de llamar la atención del jefe cuando oyeron a aquél preguntar en voz alta:

—Señor, durante los últimos seis años, ¿no ha habido varios casos de niños muertos en el Cabo y en las cercanías sin resolver?

—Es verdad.

—Jefe Coffin, ¿cuánto tiempo ha vivido Nancy Eldredge en el Cabo?

—Seis años, creo.

—Gracias, jefe.

11

Jonathan Knowles no se daba cuenta del tiempo que pasaba. Tampoco se dio cuenta de la actividad en la zona cercana al lago Maushop. Su subconsciente había registrado el hecho de que en la carretera, por delante de su casa, el tráfico era mayor de lo habitual. Pero su estudio estaba en la parte posterior y casi todo el ruido quedaba filtrado antes de llegar a sus oídos.

Después de la primera conmoción al comprender que la esposa de Ray Eldredge era la notoria Nancy Harmon, tomó otra taza de café y se instaló en su escritorio. Decidió atenerse a su plan: empezar por el estudio del caso de asesinato Harmon, tal como había proyectado. Si resultaba que el hecho de conocer a Nancy Harmon personalmente disminuía en cierta manera su capacidad de escribir sobre ella, eliminaría simplemente este capítulo del libro.

Empezó su investigación estudiando con todo

cuidado el sensacional artículo del periódico del Cabo. Con torvos detalles que insidiosamente horrorizaban al lector, revisaba los antecedentes de Nancy Harmon como joven esposa de un profesor universitario..., dos hijos..., un hogar en el recinto de la universidad. Una situación ideal hasta el día en que el profesor Harmon mandó a un estudiante a su casa para reparar el quemador de la calefacción. El estudiante era guapo, voluble y experto en mujeres. Y Nancy —de apenas veinticinco años— se había lanzado sobre él.

Jonathan leyó extractos del proceso en el artículo. El estudiante, Rob Legler, explicó cómo había conocido a Nancy:

«—Cuando el profesor Harmon recibió la llamada de su esposa a causa del quemador que no funcionaba, yo estaba en su despacho. No hay nada mecánico que yo no pueda arreglar, así que me ofrecí para ir. No quería que yo lo hiciese, pero no pudo ponerse en contacto con el servicio regular de mantenimiento y necesitaba que en su casa volviese a haber calefacción.

»—¿Le dio a usted algunas instrucciones específicas concernientes a su familia? —preguntó el fiscal del distrito.

»—Sí. Dijo que su esposa no estaba bien y que no debía molestarla; que si yo necesitaba algo o quería discutir cualquier problema, que le llamase a él.

»—¿Siguió usted las instrucciones del profesor Harmon?

»—Lo hubiera hecho, señor, pero no pude evitar que su esposa me siguiera como un perrito.

»—¡Protesto! ¡Protesto!

»Pero el abogado defensor llegó tarde. La declaración había sido ya hecha. Y las otras declaraciones del estudiante fueron totalmente perjudiciales. Se le preguntó si había tenido algún contacto físico con la señora Harmon. Su respuesta fue directa:

»—Sí, señor.

»—¿Cómo sucedió?

»—Estaba mostrándole dónde estaba el interruptor de emergencia en el quemador. Era uno de esos anticuados quemadores de aire caliente, y el interruptor había causado el problema.

»—¿No le dijo a usted el profesor Harmon que no molestase a la señora con ninguna pregunta ni explicación?

»—Ella insistió en saberlo. Dijo que tenía que aprender cómo manejar las cosas en su casa. Así pues, se lo mostré. Entonces ella estaba más o menos apoyándose en mí para probar el interruptor, y..., bueno, me imaginé, ¿por qué no...? Así que hice un intento.

»—¿Qué hizo la señora Harmon?

»—Le gustó. Lo vi.

»—¿Hará usted el favor de explicar exactamente lo que sucedió?

»—No fue realmente lo que sucedió. Porque no sucedió realmente mucho. Fue sólo que a ella le gustó. Yo la hice girar y la agarré y la besé... Y al cabo de un minuto ella se desprendió, pero sin desearlo.

»—¿Qué sucedió entonces?

»—Yo dije algo acerca de que aquello era muy bueno.

»—¿Qué dijo la señora Harmon?

»—Solamente me miró y dijo... casi como si no me hablase a mí... Dijo: "Tendré que irme." Yo no quería meterme en problemas. Quiero decir que no quería hacer nada para que me echasen de la escuela y terminar siendo movilizado. Ésta era la razón de mis estudios universitarios. Así pues, dije: "Mire, señora Harmon...", sólo que entonces decidí que era hora de llamarla Nancy..., así que dije: "Mira, Nancy, esto no tiene que ser un problema. Podemos idear algo para estar juntos sin que nadie lo adivine nunca. No puedes irte de aquí..., tienes a los niños."

»—¿Cómo respondió la señora Harmon a estas palabras?

»—Bueno, es curioso. Precisamente entonces el niño..., Peter..., bajó en su busca. Era un niño verdaderamente tranquilo... No dijo nada en absoluto. Ella pareció furiosa y exclamó: "Los niños"; luego soltó una extraña risa y añadió: "Pero serán ahogados."

»—Señor Legler, esta frase que usted cita es crucial. ¿Está usted seguro de que repite la expresión exacta de la señora Harmon?

»—Sí, señor, exacta. Realmente me hizo sentir horrorizado en aquel momento. Por eso estoy tan seguro de ello. Pero, naturalmente, uno no cree de veras que alguien diga una cosa así con convencimiento.

»—¿En qué fecha hizo esa afirmación Nancy Harmon?

»—Fue el trece de noviembre. Lo sé porque, cuando volví a la escuela, el profesor Harmon insistió en darme un cheque por haber arreglado el quemador.

»—Trece de noviembre... Y cuatro días después los niños Harmon desaparecieron del automóvil de su madre, y finalmente fueron llevados por las aguas a la playa de la bahía de San Francisco y aparecieron con unas bolsas de plástico enfundadas en sus cabezas... En efecto, ahogados.

»—Eso es.

»El abogado defensor trató de reducir el impacto de la historia:

»—¿Continuó usted abrazando a la señora Harmon?

»—No. Subió con los niños.

»—Entonces tenemos solamente su declaración de que a ella le gustó el beso que usted le dio a la fuerza.

»—Créame, cuando estoy con una chica puedo decir si es receptiva.

»Siguió la declaración de Nancy, bajo juramento, sobre el incidente:

»—Sí, me besó. Sí, creo que yo sabía que lo haría y dejé que lo hiciera.

»—¿Recuerda también haber hecho la afirmación de que sus niños serían ahogados?

»—Sí, lo recuerdo.

»—¿Qué quería usted decir con esto?

»Según el artículo, Nancy simplemente dirigió la mirada más allá de su abogado y la detuvo en las caras que había en la sala, sin verlas.

»—No lo sé —dijo con voz soñolienta.»

Jonathan meneó la cabeza y profirió un juramento en voz baja. Nunca se debía haber permitido a aquella muchacha ocupar el banquillo de los testigos. No hizo nada más que perjudicar su caso. Continuó leyendo y frunció el ceño al llegar a la descripción del hallazgo de aquellos patéticos niños. Dejados por las aguas, ambos, al cabo de dos semanas y a ochenta kilómetros de distancia. Los cuerpos muy hinchados, con algas pegadas a ellos, el cuerpo de la niña bárbaramente mutilado... probablemente por los tiburones; los jerseys de un rojo vivo, hechos a mano, con su dibujo blanco, que todavía conservaban milagrosamente el color sobre los cuerpecitos.

Cuando terminó de leer el artículo, Jonathan dirigió su atención a la voluminosa carpeta que Kevin le había enviado. Reclinándose en su asiento, empezó a leer comenzando por el primer recorte de periódico que anunciaba en grandes titulares la desaparición de los niños Harmon del automóvil de su madre mientras ella se hallaba de compras. Borrosas ampliaciones de instantáneas de ambos niños; una descripción minuciosamente detallada de su peso y tamaño, y de lo que llevaban; «cualquiera que pueda dar alguna información, haga el favor de llamar a este número». Con su mente y sus ojos bien entrenados, Jonathan leía rápidamente, eligiendo y asimilando la información, subrayando ligeramente hechos convincentes a los que quería referirse más tarde. Cuando empezó a leer la transcripción del juicio, comprendió por qué Kevin se había referido a Nancy Harmon como pan comido para la acusación. La actitud de la muchacha ni siquiera tenía sentido. No había sido más que un juguete en manos del fiscal, con su manera de declarar..., sin lucha; sus protestas de inocencia sonaban superficiales y sin emoción.

¿Qué le había pasado?, se preguntaba Jonathan. Era casi como si no quisiera ser absuelta. En un momento, incluso dijo a su marido, desde el banquillo de los testigos: «¡Oh, Carl!, ¿puedes perdonarme?»

Las arrugas en la frente de Jonathan se hicieron más profundas cuando recordó que sólo unas pocas horas antes había pasado ante la casa de Eldredge y visto a aquella joven familia en torno a la mesa del desayuno. Los comparó con su propia situación solitaria y sintió envidia. Ahora la vida de aquellos seres estaba destrozada. Nunca podrían permanecer en una comunidad tan cerrada como la del Cabo, sabiendo que dondequiera que fuesen la gente los señalaría y hablaría de ellos. Cualquiera reconocería a Nancy en aquella fotografía. Recordaba haberla visto llevar aquel traje de paño y recientemente, además.

De pronto, Jonathan recordó la ocasión. Fue en la tienda de Lowery. Se topó con Nancy cuando ambos estaban comprando y se detuvieron para hablar unos minutos. Él admiró el traje y le dijo que no había nada mejor que un buen paño... de pura lana, claro; nada de esas cosas sintéticas sin grueso ni lustre.

Nancy estaba muy bonita. Una bufanda amarilla anudada descuidadamente al cuello hacía resaltar el reflejo amarillo en la tela, predominantemente de color marrón y ocre. Ella sonrió... con una sonrisa cálida, encantadora, que le envolvía a uno. Los niños iban con ella: niños simpáticos, bien educados, los dos. Luego el niño dijo: «Mamá, cogeré el cereal», y al alargar el brazo para cogerlo derribó una pirámide de latas de sopa.

El estruendo hizo que acudiera corriendo toda la gente que estaba en la tienda, incluyendo al mismo Lowery, un hombre agrio, desagradable. Muchas madres jóvenes podrían haberse sentido confusas y haber pegado al niño. Jonathan admiró la manera como Nancy dijo con serenidad: «Lo sentimos, señor Lowery. Fue un accidente. Lo arreglaremos nosotros.»

Después calmó al niño, que estaba trastornado: «No te preocupes, Mike. No querías hacerlo. Vamos, volveremos a apilarlas.»

Jonathan ayudó a apilar las latas, después de dirigir una mirada amenazante a Lowery, quien, evidentemente, estuvo a punto de hacer alguna observación. Era difícil de creer que, siete años atrás, esta misma joven tan considerada hubiese podido quitar deliberadamente la vida a otros dos niños... Niños que ella misma había traído al mundo.

No obstante, la pasión era un motivo poderoso, y ella era joven entonces. Quizá su indiferencia en el juicio denotaba su aceptación de la culpa, aun cuando no pudiese decidirse a admitir públicamente haber cometido un crimen tan atroz. Él había visto suceder esta clase de cosas.

Sonó el timbre de la puerta. Jonathan se levantó sorprendido. Pocas personas en el Cabo visitaban a otras sin anunciarse, y la venta a domicilio estaba absolutamente prohibida.

Mientras se dirigía a la puerta, se dio cuenta de que el estar sentado le había dejado entumecido.

Con sorpresa, vio que el visitante era un policía, un joven cuyo rostro reconoció vagamente por haberle visto en un coche patrulla. «Venderá alguna clase de billetes», fue el pensamiento inmediato de Jonathan, mas enseguida rechazó la idea. El joven agente aceptó su invitación a entrar. En su manera de comportarse había algo de rígida eficiencia y seriedad.

—Señor, lamento molestarle a usted, pero estamos investigando la desaparición de los niños Eldredge.

Luego, mientras Jonathan le miraba fijamente, sacó un cuaderno de notas. Dirigiendo miradas a su alrededor, a la ordenada casa, empezó sus preguntas.

—Usted vive solo aquí, ¿verdad, señor?

Sin contestarle, Jonathan pasó junto a él y abrió la maciza puerta frontal. Por fin se dio cuenta de la presencia inhabitual de vehículos que pasaban por la carretera hacia el lago y de hombres de cara agria, con pesados impermeables, que pululaban por allí.

12

—Toma esto, Nancy. Tus manos están frías. Esto te hará bien. Has de recuperar tus fuerzas.

La voz de Dorothy era acariciadora. Nancy sacudió la cabeza. Dorothy dejó la taza sobre la mesa confiando en que la tentase el aroma de verduras frescas que se esparcía de una condimentada sopa de tomate.

—Hice esto ayer —susurró Nancy con voz opaca— para la comida de los niños. Los niños deben de tener hambre.

Ray estaba sentado a su lado, con el brazo apoyado, con un gesto protector, sobre el respaldo de su silla; frente a él había un cenicero lleno a rebosar de colillas aplastadas.

—No te tortures, querida —dijo con voz tranquila.

Fuera, sobre el repiqueteo de los postigos y los cristales de las ventanas, se podía oír el sonido *staccato* de los helicópteros que volaban bajos.

Ray contestó a la pregunta que vio en el rostro de Nancy.

—Tienen tres helicópteros escudriñando la zona. Descubrirán a los niños si lo que ocurre es que están deambulando por ahí. Vinieron voluntarios de todas las poblaciones del Cabo. Hay dos aviones sobre la bahía y el estrecho. Todo el mundo ayuda.

—Y unos buzos buscan en el lago los cuerpos de mis hijos. —La voz de Nancy era remota y monótona.

Después de facilitar la declaración a los informadores, el jefe Coffin volvió a la comisaría para hacer una serie de llamadas telefónicas. Cuando hubo terminado, volvió a la casa de Eldredge y entró justo a tiempo para oír las palabras de Nancy. Sus ojos, experimentados, captaron la mirada fija de los de ella, la siniestra inmovilidad de sus manos y su cuerpo, la expresión dócil de la cara y de la voz. Se acercaba otra vez a un estado de conmoción y tendrían suerte si dentro de poco era capaz siquiera de contestar a su propio nombre.

Miró más allá, buscando a Bernie Mills, el policía que había dejado de guardia en la casa. Bernie estaba de pie en el umbral de la cocina, preparado para descolgar el teléfono si sonaba. El pelo color arena de Bernie estaba pulcramente aplastado sobre su huesudo cráneo. Sus ojos, prominentes, suavizados por unas pestañas rubias y cortas, se movieron horizontalmente. Aceptando el mensaje indicado, el jefe Coffin miró otra vez a las tres personas en torno a la mesa. Ray se levantó, se puso detrás de la silla de su esposa y posó sus manos sobre los hombros de ella.

Veinte años desaparecieron para Jed Coffin. Recordó la noche en que recibió una llamada, cuando era polizonte en Boston, avisándole que los padres de Delia habían sufrido un accidente y no era probable que hubiesen salido con vida.

Se fue a casa. Delia estaba sentada en la cocina, en camisón y bata, sorbiendo una taza caliente de su chocolate instantáneo preferido, leyendo el periódico. Se volvió sorprendida de verle tan temprano, pero sonriente, y antes de decir una sola palabra él hizo exactamente lo mismo que Ray Eldredge hacía ahora: puso sus manos sobre los hombros de Delia, sosteniéndola.

¡Diablos!, ¿no era éste el valor que las azafatas de los aviones recomendaban en su aviso de despegue? «En el caso de un aterrizaje de urgencia, siéntense con la espalda bien derecha, agarren los brazos de su asiento y pongan los pies sólidamente en el suelo.» Lo que decían en realidad era: «Dejen que les pase el sobresalto.»

—Ray, ¿puedo verle a usted a solas? —preguntó bruscamente.

Las manos de Ray siguieron sosteniendo los hombros de Nancy mientras el cuerpo de ésta empezaba a temblar.

—¿Encontraron ustedes a mis niños? —preguntó Nancy. Ahora su voz era casi un susurro.

—Cariño, si encuentran a los niños nos lo dirán. Quédate sentada aquí. Volveré enseguida.

Ray se inclinó y por un instante apoyó su mejilla sobre la de Nancy. Sin que pareciese esperar una respuesta, se enderezó y condujo al jefe, a través del vestíbulo intermedio, a la espaciosa sala.

Jed Coffin sintió involuntariamente admiración por aquel joven alto que se colocaba junto a la chimenea antes de volverse hacia él. Había algo en Ray de valeroso autodominio, aun en estas circunstancias. Fugazmente recordó que Ray, en Vietnam, siendo oficial, había sido condecorado por su comportamiento bajo el fuego y ascendido a capitán.

Era un hombre distinguido, no había duda. Había clase en el porte de Ray y en su manera de hablar, de vestir, de moverse; en los contornos firmes de su mentón y su boca; en la mano fuerte, bien formada, que descansaba ligeramente sobre la repisa.

Esperando recuperar su sentido de la justicia y la autoridad, Jed miró lentamente a su alrededor. El piso de roble brillaba suavemente entre las alfombras ovales; entre las ventanas de vidrieras emplomadas había una pila sin agua. Las paredes color crema estaban cubiertas de cuadros. Jed se dio cuenta de que aquellas pinturas mostraban escenas familiares. El gran cuadro sobre la chimenea representaba el jardín de Nancy Eldredge. El cementerio rural, sobre el piano, era el antiguo, en la carretera de la iglesia de Nuestra Señora del Cabo. La pintura encuadrada en madera de pino, sobre el diván, había captado el sabor del regreso a casa de todas las embarcaciones que, al ocaso, vuelven a Sesuit Harbor. En la acuarela del pantano de los arándanos sacudidos por el viento figuraba al fondo, levemente esbozada, la vieja casa de Hunt, el Mirador.

Jed había observado que Nancy Eldredge tomaba a veces apuntes en la población, pero nunca pensó en absoluto que fuese buena pintora. La mayoría de las mujeres que conocía que se entretenían con esta clase de cosas terminaban generalmente enmarcando unos engendros que parecían de pintores callejeros.

La chimenea estaba rodeada de estanterías con libros. Las mesas, de pesada y vieja madera de pino, eran parecidas a las que recordaba que su familia regaló para la tómbola de la iglesia, después de la muerte de su abuela. Sobre las mesas bajas había lámparas de peltre como las de su abuela, junto a cómodos sillones de mullidos cojines. En la mecedora, junto a la chimenea, había un almohadón bordado a mano.

Algo molesto, Jed comparó esta sala con la suya, decorada de nuevo. Delia había escogido material plástico de color negro para el diván y los sillones; una mesa de cristal con patas de acero; alfombra de pared a pared, de gruesa felpa amarilla que se pegaba a los zapatos y conservaba y exhibía fielmente cualquier rastro de saliva o de orina que su perro, todavía no educado, dejara caer en ella.

—¿Qué quiere usted, jefe?

La voz de Ray era fría y nada amistosa. El jefe sabía que para Ray era un enemigo. Ray lo había adivinado a través de su rutinaria advertencia a Nancy sobre sus derechos. Ray sabía exactamente lo que sentía Jed y luchaba contra él. Bueno, si lo que quería era lucha...

Con la facilidad de la experiencia adquirida en incontables sesiones similares, Jed Coffin buscó el punto débil y dirigió a él su atención.

—¿Quién es el abogado de su esposa, Ray? —preguntó secamente.

Un parpadeo de incertidumbre, una rigidez del cuerpo, traicionaron la respuesta. Exactamente como Jed había imaginado. Ray no había dado el paso decisivo. Todavía trataba de hacer aparecer a su esposa como la típica madre desesperada de unos niños perdidos. Probablemente querría hacerla aparecer en el programa de noticias de la televisión, esta noche, retorciendo un pañuelo en sus manos, con los ojos hinchados, la voz suplicando: «Devolvedme a mis hijos.»

Bueno, Jed tenía noticias para Ray. Su preciosa esposa había representado ya esta escena antes. Jed podía obtener copias de la filmación de siete años atrás que los periódicos calificaron como «una súplica emocionante». De hecho, el ayudante del fiscal del distrito de San Francisco le había ofrecido proporcionárselas, durante su conversación telefónica de sólo media hora antes. «Ahorraré a esa perra la molestia de volver a representar la escena», dijo.

Ray hablaba ahora calmosamente, en un tono de voz mucho más bajo:

—No nos hemos puesto en contacto con ningún abogado —dijo—. Yo esperaba que quizá..., con todo el mundo en su búsqueda...

—La mayor parte de la búsqueda será suspendida muy pronto —indicó Jed claramente—. Con este tiempo, nadie sería capaz de ver nada. Pero tendré que llevar a su esposa a la comisaría para interrogarla. Y, si no ha escogido usted todavía un abogado, haré que el tribunal le nombre uno.

—¡No puede usted hacer esto! —Ray lanzó las

palabras furiosamente, pero luego hizo un evidente esfuerzo por controlarse—. Quiero decir que destrozaría usted a Nancy si la llevase a una comisaría de policía. Durante años tuvo pesadillas, y siempre eran lo mismo: que estaba en una comisaría de policía y era interrogada y luego llevada por un largo corredor hasta el depósito de cadáveres, y le hacían identificar a sus hijos. ¡Por Dios, hombre! Aún está bajo los efectos del choque. ¿Intenta usted asegurarse de que no sea capaz de decirnos nada de lo que haya visto?

—Ray, mi obligación es recobrar a sus niños.

—Sí, pero ya puede usted ver lo que le ha hecho sólo la lectura de ese maldito artículo. ¿Y qué hay del bastardo que lo escribió? Alguien lo bastante vil para desenterrar esa historia y publicarla sería capaz de apoderarse de los niños.

—Naturalmente, estamos trabajando en esto. Esas cosas siempre van firmadas con un nombre ficticio, pero los artículos son en realidad colaboraciones espontáneas que, si son aceptadas, significan el cobro de veinticinco dólares.

—Bueno, ¿quién es el autor, pues?

—Esto es lo que hemos tratado de averiguar —contestó Jed. Parecía enojado—. La carta que lo acompañaba establecía que la información era ofrecida solamente con la condición de que, de ser aceptada, no se cambiaría absolutamente nada en ella, se emplearían todas las fotografías que la acompañaban y sería publicada el diecisiete de noviembre..., hoy. El editor me dijo que el artículo le había parecido bien escrito, fascinante. En realidad, lo halló tan bueno que pensó que el autor era un necio por habérselo dado por veinticinco dólares, una miseria. Pero, naturalmente, no se lo dijo. Dictó una carta aceptando las condiciones e incluyendo un cheque.

Jed sacó su cuaderno de notas del bolsillo de la cadera y lo abrió.

—La carta de aceptación llevaba fecha del veintiocho de octubre. La secretaria del director recuerda haber recibido el veintinueve una llamada telefónica preguntando si se había tomado una decisión sobre el artículo referente al caso Harmon. Había mala comunicación y la voz quedaba tan ahogada que ella casi no podía oír al que llamaba, pero le contestó, a él o a ella, que se había mandado un cheque por correo, a Lista de Correos, Hyannis Port. El cheque fue librado a nombre de J. R. Penrose. Al día siguiente fue recogido.

—¿Hombre o mujer? —preguntó Ray rápidamente.

—No sabemos. Como debe usted saber, una población como Hyannis Port es frecuentada por gran número de turistas incluso en esta época del año. Cualquiera que necesite algo de la oficina postal sólo tiene que solicitarlo. Ningún empleado parece recordar la carta, y hasta ahora el cheque no ha sido cobrado. Cuando lo sea, podremos seguir la pista a J. R. Penrose. Francamente, no me sorprendería que el autor resultase ser una de nuestras viejas damitas de la población. Pueden ser maravillosas ahondando en chismes.

Ray miró la chimenea.

—Hace frío aquí —dijo—. Sería bueno encender fuego.

Su mirada se dirigió, sobre la repisa, hacia los camafeos en los cuales Nancy había pintado a Michael y Missy cuando eran pequeñitos. Se tragó el nudo pegajoso que de pronto le obstruyó la garganta.

—No creo que realmente necesite fuego aquí ahora, Ray —dijo Jed con calma—. Le pedí a usted que viniese aquí porque quería que dijese a Nancy que se vista y vaya con nosotros a la comisaría.

—No..., no... Por favor...

El jefe Coffin y Ray se volvieron hacia la puerta de la sala. Nancy estaba allí de pie, sosteniéndose con una mano apoyada en el marco de roble tallado. Su pelo se había secado y ella se lo había recogido en un moño sujeto flojamente sobre la nuca. La tensión de las horas pasadas había dado a su piel una blancura de cal, acentuada por el pelo oscuro. En sus ojos había una expresión casi indiferente.

Dorothy estaba tras ella.

—Quiso venir —dijo Dorothy en tono de excusa. Sintió la acusación en los ojos de Ray mientras corría hacia ellas—. Ray, lo siento, no pude retenerla.

Ray abrazó a Nancy.

—Está bien, Dorothy —dijo brevemente. Su voz cambió, volviéndose tierna—. Cariño, cálmate. Nadie te hará daño.

Dorothy notó en la voz de Ray que éste la despedía. Había contado con ella para retener a Nancy mientras él hablaba con el jefe, y ella no pudo hacer siquiera esto. Era inútil aquí..., inútil.

—Ray —dijo ella obstinadamente—, es ridículo molestarle a usted con esto, pero acaban de telefonearme de la oficina para recordarme que el señor Kragopoulos, el que escribió con referencia a la finca Hunt, quiere verla a las dos. ¿Busco a alguien para que le lleve allí?

Ray miró por encima de la cabeza de Nancy mientras la apretaba firmemente contra él.

—No me importa nada —replicó. Luego dijo rápidamente—: Perdone, Dorothy. Le agradeceré que le muestre la casa; usted conoce El Mirador y puede venderlo si hay verdadero interés. El pobre viejo señor Hunt necesita el dinero.

—No he dicho al señor Parrish que hoy podríamos llevar gente allá.

—Su contrato de alquiler establece claramente que tenemos el derecho de mostrar la casa en cualquier momento, con sólo avisarle por teléfono con media hora de antelación. Por esto se la dejamos tan barata. Llámele desde la oficina y dígale que va a ir allá.

—Está bien —vacilante, Dorothy esperaba, sin deseos de marcharse—. Ray...

Él la miró y comprendió su deseo tácito, pero lo desechó.

—No hay nada que pueda usted hacer aquí ahora, Dorothy. Vuelva cuando haya terminado en El Mirador.

Ella asintió y se volvió para marcharse. No deseaba dejarles; quería estar con ellos, compartir su angustia. Desde aquel primer día en que entró en la oficina de Ray, él había sido siempre para ella una cuerda salvavidas. Después de casi veinticinco años de proyectar todas sus actividades con Kenneth y en torno a las de Kenneth, se sentía desarraigada y, por primera vez en su vida, asustada. Trabajar con Ray, ayudarle a levantar el negocio, emplear sus conocimientos de decoración interior para impulsar a la gente a comprar las casas y luego invertir en renovarlas, había llenado gran parte de su vida. Ray era una persona muy honrada, muy buena. Le daba una generosa participación en los beneficios. No hubiera podido pensar mejor de él si hubiese sido su propio hijo. Cuando Nancy vino, se sintió orgullosa de que ésta confiase en ella. Pero había una reserva en Nancy que no permitía ninguna intimidad verdadera, y ahora Dorothy se sentía como una espectadora innecesaria. Sin decir una palabra, los dejó, tomó su abrigo y su bufanda y se dirigió a la puerta trasera.

Al abrir la puerta, se dio ánimo contra el viento y la cellisca. Su coche estaba aparcado a la mitad de la avenida semicircular de atrás. Estuvo contenta de no tener que pasar por la parte delantera. Una de las redes de información tenía una furgoneta de la televisión parada frente a la casa.

Mientras corría hacia el coche, vio el columpio en el árbol, al norte de la finca. Allí era donde los niños habían estado jugando y donde Nancy encontró el guante. ¿Cuántas veces ella misma había empujado a los niños en aquel columpio? Michael y Missy... La horrenda posibilidad de que algo les hubiese sucedido, de que estuviesen muertos, le produjo una terrible emoción. «¡Oh, por favor, esto no...! Dios todopoderoso y misericordioso, por favor, ¡esto no!» Una vez bromeó diciendo que ella era para los niños como una sustituta de su abuela, y entonces la expresión de dolor, en el rostro de Nancy, fue tan inequívoca, que había deseado morderse la lengua. Fue una presunción decir aquello.

Miró el columpio, perdida en sus pensamientos, sin hacer caso de la cellisca que le mordisqueaba la cara. Siempre que Nancy se detenía en la oficina, los niños corrían hacia su escritorio. Procuraba tener siempre una sorpresa para ellos. Ayer mismo, cuando Nancy entró con Missy, tenía galletas que había hecho la noche anterior como obsequio extraordinario. Nancy iba a buscar tela para cortinas, y Dorothy se ofreció a cuidar a Missy y recoger a Michael en la escuela maternal. «Es difícil elegir telas si una no puede poner toda su atención —dijo—, y yo tengo que recoger unos papeles en el juzgado. Será divertido tener compañía, y de regreso tomaremos helados, si te parece bien.» Sólo hacía veinticuatro horas...

—Dorothy.

Sobresaltada, levantó los ojos. Jonathan debía de haber venido a través del bosque desde su casa. Hoy tenía la cara profundamente arrugada. Ella sabía que debía tener casi sesenta años, y hoy, desde luego, los aparentaba.

—Acabo de enterarme de lo de los niños Eldredge —dijo—. Tengo que hablar con Ray. Posiblemente pueda ayudar.

—Es muy de agradecer —dijo Dorothy vacilante. La preocupación, en la voz de Jonathan, era curiosamente reconfortante—. Están dentro.

—¿Ningún rastro de los niños todavía?

—No.

—Vi el artículo en el periódico.

Sorprendida, Dorothy se dio cuenta de que a ella no la trataba con simpatía. Había frialdad en el tono de Jonathan, un reproche que claramente le recordaba que le había mentido cuando le dijo que conoció a Nancy en Virginia. Con gesto cansado, abrió la puerta de su coche.

—Tengo una cita —dijo bruscamente.

Sin darle tiempo de contestar, subió y puso en marcha el motor. Solamente cuando su visión se hizo borrosa comprendió que tenía los ojos llenos de lágrimas.

13

El ruido de los helicópteros le gustaba. Le recordaba la vez anterior, cuando todo el mundo, en varios kilómetros a la redonda, en torno a la universidad, se prestó a buscar a los niños. Miró por la ventana de la fachada que daba a la bahía. El agua, gris, tenía una costra de hielo cerca del muelle. Más temprano la radio indicó la posibilidad de viento y cellisca, de lluvia mezclada con nieve. Por una vez, el hombre del tiempo había acertado. El viento azotaba la bahía con furioso cabrilleo. Contempló cómo una bandada de gaviotas volaba incierta en un inútil esfuerzo por avanzar contra el viento.

Consultó atentamente el termómetro colocado al exterior. Cinco grados bajo cero ahora; es decir, un descenso de diez grados desde la mañana. Por ello, los helicópteros y los aviones de búsqueda no estarían en el aire mucho tiempo más. Tampoco habría en tierra mucha gente que buscase.

La marea alta sería a las siete de la noche. A esa

hora llevaría a los niños arriba, a través de la buhardilla, hasta el balcón que llamaban «el paseo de la viuda». El agua, en la marea alta, cubría la playa de abajo, rompía furiosamente contra el muro de contención y luego, aspirada por la violenta resaca, retrocedía hacia el mar. Ésa sería la hora de dejar caer a los niños... por encima de la baranda... hacia abajo... Podían pasar semanas antes de que fuesen devueltos por el agua... Pero, aunque fuesen encontrados dentro de pocos días, él estaría preparado para ello. Les había dado solamente leche y galletas. No sería lo bastante necio como para alimentarlos con algo que sugiriese que otra persona distinta de Nancy les había dado una verdadera comida después del desayuno. Naturalmente, tenía la esperanza de que cuando fuesen encontrados ya no se les podría hacer el análisis.

Soltó una risita entre dientes. Mientras, disponía de cinco horas: cinco largas horas para contemplar los reflectores instalados cerca de la casa de Nancy y del lago; cinco horas para estar con los niños. Incluso el muchacho, ahora que lo pensaba, era un niño hermoso..., de piel suave y cuerpo perfectamente formado.

Y había la niña. Se parecía tanto a Nancy... Con aquel hermoso cabello sedoso y las pequeñas y bien formadas orejas. Volvió bruscamente la espalda a la ventana. Los niños estaban yaciendo juntos sobre el diván. El sedante que había mezclado con la leche les haría dormir a los dos. El brazo del niño descansaba, protector, sobre su hermana. Pero ni siquiera se movió cuando él levantó a la niña. La llevaría adentro, la pondría en la cama y la desnudaría. La pequeña no emitió ni un sonido mientras la llevaba y la dejaba cuidadosamente sobre la cama. Fue al cuarto de baño y abrió los grifos de la bañera, probando el chorro del agua hasta que alcanzó la temperatura deseada. Cuando la bañera estuvo llena, probó otra vez el agua con el codo. Un poco más caliente de lo que debería, pero no importaba. Se enfriaría en pocos minutos.

Retuvo el aliento. Estaba perdiendo tiempo. Rápidamente abrió la puerta del armario de las medicinas y sacó el bote de polvos para niños que se había metido en el bolsillo del abrigo esa mañana, en la tienda de Wiggins. Cuando iba a cerrar la puerta, vio el patito de hule metido detras de la crema de afeitar. Había olvidado esto... Por qué lo usó la otra vez... Lo apropiado que había sido. Riendo levemente, tomó el patito; lo metió bajo el agua fría y notó la falta de elasticidad y las grietas de la goma; luego lo echó dentro de la bañera. Era una buena idea distraer a los niños alguna vez.

Cogió el bote de polvos y volvió apresuradamente al dormitorio. Sus dedos, ágiles, desabrocharon la chaqueta de Missy y se la quitaron. Le quitó también fácilmente, por la cabeza, el jersey de cuello de cisne, junto con la camiseta. Suspiró con un sonido prolongado y ronco, y levantó a la niña, abrazando contra él su cuerpecito inerte. Tres años. Una edad hermosa. La niña se agitó y empezó a abrir los ojos.

—Mamá, mamá...

Fue un grito débil, perezoso..., tan encantador, tan precioso...

Sonó el teléfono.

Colérico, apretó a la niña y ésta empezó a gemir..., un gemido letárgico, sin esperanza.

Dejaría que el teléfono sonase. Nunca, nunca recibía llamadas. ¿Por qué ahora? Entornó los ojos. Podía ser una llamada desde el poblado para pedirle que se ofreciese voluntario para la búsqueda. Sería mejor que contestase. De no hacerlo, podría despertar sospechas. Dejó de nuevo a Missy en la cama y ajustó la puerta antes de descolgar el teléfono en la sala.

—Sí.

Hizo que su voz sonase fría y ceremoniosa.

—Señor Parrish, espero no haberle molestado. Soy Dorothy Prentiss, de «Eldredge Realty». Siento avisarle a usted con tan poco tiempo, pero llevaré a un posible comprador de la casa dentro de veinte minutos. ¿Estará usted ahí o debo llevar mi llave para mostrar su apartamento?

14

Lendon Miles giró a la derecha, saliendo de la ruta 6 A, para entrar en el Paddock Path. Durante todo el camino desde Boston había tenido sintonizada la radio durante la emisión de noticias, la mayoría de las cuales trataban de Nancy Eldredge y de los niños perdidos.

Según las informaciones, aunque el lago Maushop había sido dividido en zonas, los buzos necesitarían por lo menos tres días para registrarlo bien. El fondo del lago estaba lleno de rocas. Se mencionaba al jefe de policía Coffin, de Adams Port, y a su comentario acerca de que, por determinado lugar, era posible ir a pie hasta la mitad del lago con el agua sólo hasta la cintura; pero que un poco más allá, y sólo a metro y medio de la orilla, tenía una profundidad de trece metros. Los arrecifes del fondo atrapaban y retenían objetos y hacían la búsqueda arriesgada e infructuosa.

Los informadores decían que habían salido helicópteros, pequeños hidroaviones y grupos de rescate por tierra, pero los anunciados vientos en el Cabo eran una realidad, y la búsqueda por el aire se había abandonado.

Al oír la noticia de que se esperaba que Nancy Eldredge fuese llevada a la comisaría para ser interrogada, Lendon, inconscientemente, aceleró el coche. Sentía una urgencia desesperada para llegar junto a Nancy. Pero pronto vio que debía reducir la velocidad. La cellisca empañaba el parabrisas tan rápidamente, que el descongelador encontraba dificultades para derretir la costra de hielo.

Cuando por fin entró en el Paddock Path, no le costó encontrar la casa de Eldredge, centro inequívoco de la actividad en la calle. A la mitad del camino, una furgoneta de televisión estaba aparcada al otro lado de la calle frente a una casa delante de la cual había dos coches de la policía parados. Cerca de la furgoneta de la televisión había una línea de coches particulares, muchos de los cuales llevaban los distintivos especiales de la prensa.

La entrada a la avenida semicircular estaba cerrada por uno de los coches de la policía. Lendon se detuvo y esperó que un agente se le acercara. Cuando uno lo hizo, habló de un modo brusco.

—Diga qué asunto le trae, por favor.

Lendon había previsto la pregunta y estaba preparado. Entregó su tarjeta con una nota escrita en ella.

—Hágame el favor de llevar esto a la señora Eldredge.

El policía pareció vacilar.

—Si quiere usted esperar aquí, doctor... Tengo que consultar.

Volvió pronto, con una actitud algo menos hostil.

—Quitaré de en medio el coche patrulla. Aparque en la avenida y entre en la casa, señor.

Desde el otro lado de la calle, los reporteros habían estado observando las maniobras y acudieron corriendo. Uno de ellos puso un micrófono ante el rostro de Lendon cuando éste se apeaba del coche.

—Doctor Miles, ¿podemos hacerle algunas preguntas? —Sin esperar la respuesta, prosiguió rápidamente—: Señor, usted es un notable psiquiatra del equipo de la Escuela de Medicina de Harvard. ¿Le ha mandado a buscar la familia Eldredge?

—Nadie ha mandado a buscarme —replicó Lendon secamente—. Soy un amigo..., era un amigo... de la madre de la señora Eldredge. He venido aquí por amistad personal y nada más.

Trató de avanzar, pero le cerró el paso el locutor que sostenía el micrófono.

—Dice usted que era amigo de la madre de la señora Eldredge. ¿Quiere usted contestar a esto? ¿Fue alguna vez Nancy Harmon Eldredge paciente suya?

—¡No, absolutamente!

Lendon se abrió paso literalmente a codazos entre los periodistas y entró en el porche. Otro policía mantenía la puerta abierta.

—Por aquí —le dijo, indicando la estancia de la derecha.

Nancy Eldredge estaba de pie ante la chimenea

al lado de un joven alto, sin duda su esposo. Lendon la hubiera reconocido en cualquier parte. La nariz finamente cincelada, los grandes ojos azul nocturno, que miraban al frente bajo espesas pestañas, el pico en la línea del pelo en medio de la frente, el perfil tan parecido al de Priscilla...

Haciendo caso omiso de la mirada francamente hostil del oficial de policía y del escrutinio del hombre de cara áspera que estaba junto a la ventana, avanzó directamente hacia Nancy.

—Debería haber venido antes —dijo.

Los ojos de la joven tenían una mirada fija, que supo lo que él quería decir.

—Pensé que vendría usted la otra vez —dijo—, cuando murió mi madre. Estaba tan segura de que vendría usted... Y no vino.

Lendon, experto, midió los síntomas de conmoción que podía ver: las pupilas dilatadas, la rigidez del cuerpo, la voz baja, monótona. Se volvió hacia Ray.

—Quiero ayudar, si hay algún modo de hacerlo —dijo.

Ray le observó con atención e instintivamente le gustó lo que veía.

—Entonces, como médico, trate de convencer al jefe, aquí presente, de que sería un desastre llevar a Nancy a la comisaría —dijo francamente.

Nancy miró la cara de Lendon. Se sentía desprendida... como si cada minuto se deslizara más y más lejos. Pero había algo en ese doctor Miles. A su madre le había gustado mucho; las cartas de su madre sonaban a felicidad y en ellas aparecía el nombre del doctor cada vez con más frecuencia.

Cuando su madre fue a visitarla en la universidad, ella le preguntó por el doctor: ¿Qué importancia tenía para ella? Pero Carl estaba con ellas y la madre no pareció querer hablar del doctor entonces. Sólo sonrió y dijo: «¡Oh, es terriblemente importante!, pero ya te informaré más adelante, querida.»

Podía recordar esto claramente. Deseaba conocer al doctor Miles. En cierta manera, estuvo segura de que, cuando se enterase del accidente de su madre, la llamaría. Necesitaba hablar con alguien que también hubiese amado a su madre...

—Usted amaba a mi madre, ¿no?

Era su voz la que hacía la pregunta, pero ni siquiera se dio cuenta de que se hubiese propuesto hacerla.

—Sí, la amaba. Mucho. No sabía que le había hablado a usted de mí. Pensé que podía usted estar resentida conmigo. Debería haber tratado de ayudarla.

—¡Ayúdeme ahora!

Él tomó entre sus manos las de Nancy, terriblemente frías.

—Lo intentaré, Nancy; lo prometo.

Ella flaqueó y su marido la rodeó con sus brazos.

A Lendon le gustó el aspecto de Ray Eldredge. La cara del joven estaba pálida de angustia, pero mostraba entereza. Su actitud hacia su esposa era protectora. Evidentemente, dominaba con firmeza sus propias emociones. Lendon advirtió la pequeña fotografía enmarcada, sobre la mesa que estaba al lado del sofá. Era una instantánea, hecha al aire libre, de Ray abrazando a un niño y una niña... Los niños perdidos, naturalmente. ¡Qué hermosa familia! Fue interesante constatar que en ninguna parte de aquella estancia pudo ver una sola fotografía de Nancy. Se preguntó si nunca permitía que la fotografiasen.

—Nancy, ven, cariño. Tienes que descansar. —Ray, suavemente, la dejó sobre el sofá y le levantó los pies—. Así está mejor.

Ella, obediente, se reclinó. Lendon la observaba mientras ella fijaba la mirada en la instantánea de Ray y los niños, y luego cerraba los ojos con dolor. Un estremecimiento hizo temblar todo su cuerpo.

—Creo que será mejor que reavivemos este fuego —dijo Lendon a Ray.

Eligió un leño de tamaño mediano de la cesta que estaba junto a la chimenea y lo arrojó sobre el rescoldo. Se alzó un surtidor de llamas.

Ray envolvió a Nancy en un edredón.

—Estás muy fría, querida —dijo.

Por un instante retuvo la cara de Nancy entre sus manos. Las lágrimas se derramaron por debajo de los párpados cerrados y le mojaron los dedos.

—Ray, ¿tengo su permiso para representar a Nancy como su defensor legal? —La voz de Jonathan se había alterado súbitamente; tenía una rigidez autoritaria. Con calma, se enfrentó a las sorprendidas miradas—. Le aseguro a usted que tengo las condiciones necesarias —dijo secamente.

—Defensor... —susurró Nancy.

En algún lugar de su mente podía ver la cara incolora y asustada del abogado de la otra vez. Domes, éste era su nombre... Joseph Domes. Había estado diciéndole insistentemente: «Pero debe usted decirme la verdad. Debe confiar en mí para que la ayude.» Ni siquiera él la había creído.

Pero Jonathan Knowles era diferente. Le gustaban su corpulencia y el modo cortés en que siempre se le dirigía, y era tan atento con los niños cuando se detenía para hablarles... La tienda de Lowery... Esto es. Un par de semanas antes, les había ayudado, a ella y a Mike, a recoger las latas que Mike había tirado. Ella le era simpática, estaba segura de ello. Lo sabía instintivamente. Abrió los ojos.

—Por favor... —dijo mirando a Ray.

Ray asintió:

—Le estaremos muy agradecidos, Jonathan.

Jonathan se volvió hacia Lendon:

—Doctor, ¿puedo pedirle su opinión médica sobre si es aconsejable que la señora Eldredge sea llevada a la comisaría de policía para ser interrogada?

—Es altamente desaconsejable —dijo Lendon rápidamente—. Yo insistiría en que todo interrogatorio se haga aquí.

—Pero es que yo no puedo recordar. —La voz de Nancy sonaba cansada, como si hubiese dicho estas mismas palabras demasiadas veces—. Dicen que puedo saber dónde están mis hijos. Pero yo no recuerdo nada desde el momento en que vi ese periódico en la cocina, esta mañana, hasta que oí a Ray que me llamaba. —Miró a Lendon con los ojos empañados y fijos—. ¿Puede usted ayudarme a recordar? ¿Hay alguna manera?

—¿Qué quiere decir? —preguntó Lendon.

—Quiero decir si puede usted darme algo para que, si sé..., o vi..., o hice... Incluso si hice algo... Tengo que saberlo... No es algo que uno pueda ocultar. Si hay alguna parte horrenda de mí que pudiese dañar a mis hijos... Tenemos que saber esto también. Y si no la hay, pero de alguna manera yo sé dónde están, ahora, simplemente, estamos perdiendo el tiempo.

—Nancy, yo no dejaré... —pero Ray calló cuando vio la angustia en el rostro de Nancy.

—¿Es posible ayudar a Nancy a recordar lo que sucedió esta mañana, doctor? —preguntó Jonathan.

—Quizá. Probablemente sufre de alguna forma de amnesia, lo cual no es raro después de lo que para ella fue una experiencia terrible. En términos médicos, es una amnesia histérica. Con una inyección de amital sódico se relajaría y probablemente sería capaz de decirnos lo que sucedió... La verdad tal como ella la sabe.

—Las respuestas dadas bajo los efectos de un sedante no serían admisibles ante el tribunal —interrumpió Jed—. No puedo dejar que interrogue usted a la señora Eldredge de esta manera.

—Yo tenía muy buena memoria —murmuró Nancy—. Una vez, en el *college*, hicimos un concurso para ver quién podría recordar lo que había hecho cada día. Sólo hay que ir hacia atrás día por día hasta que ya no se puede recordar nada más. Yo gané con tanta ventaja, que fue motivo de bromas en el dormitorio. Todo estaba tan claro...

Sonó el teléfono y produjo el efecto de un disparo de pistola dentro de la sala. Nancy se encogió de hombros y Ray puso las manos sobre las suyas. Todos esperaron en silencio hasta que el policía de guardia junto al teléfono entró en la estancia. Dijo:

—Conferencia para usted, desde lejos, jefe.

—Les aseguro que ésta es la llamada que trataba de obtener —dijo Jed a Nancy y a Ray—. Señor Knowles, le agradeceré que venga usted conmigo. Usted también, Ray.

—Vuelvo enseguida, querida —murmuró Ray a Nancy.

Luego miró la cara de Lendon. Satisfecho con lo que vio, siguió a los otros hombres afuera de la sala.

Lendon vio que el alivio desaparecía de la expresión de Nancy.

—Cada vez que llaman, creo que alguien ha encontrado a los niños y que están sanos —murmuró—. Y luego pienso que será como la otra vez..., cuando llegó la llamada.

—Calma —dijo Lendon—. Nancy, esto es importante. Dígame cuándo empezó a tener problemas para recordar sucesos concretos.

—Cuando Peter y Lisa murieron... Quizá aún antes que eso. Me es difícil recordar los años en que estuve casada con Carl.

—Es posible que asocie esos años con los niños, y es demasiado doloroso recordar algo acerca de ellos.

—Pero durante aquellos cinco años... Estaba tan terriblemente cansada..., después de que mi madre muriera..., siempre tan cansada. Pobre Carl..., tan paciente. Lo hizo todo por mí. Se levantaba de noche por los niños, incluso cuando eran pequeñitos. Todo significaba tanto esfuerzo para mí... Después de que los niños desaparecieran, no pude recordar... Como me sucede ahora... Simplemente, no pude.

Su voz empezaba a elevarse. Ray entró en la sala. Algo había sucedido. Lendon pudo verlo en las líneas tensas en la boca de Ray, en el ligero temblor de sus manos. Se vio a sí mismo rogando: «Por favor, que no sean malas noticias.»

—Doctor, ¿podría usted hablar con Jonathan un minuto, quiere hacer el favor? —Ray hacía un gran esfuerzo para mantener su voz normal.

—Ciertamente.

Lendon se apresuró hacia la puerta en arco que llevaba a la estancia familiar y al comedor, seguro de que la llamada telefónica había trastornado mucho a Ray.

Cuando llegó al comedor, el jefe Coffin seguía todavía al teléfono. Estaba gritando órdenes al teniente de guardia en la comisaría.

—Revuelvan esa oficina de correos y acosen a todo empleado que haya estado trabajando el trece de octubre, y no paren de interrogarlos hasta que alguien recuerde quién recogió aquella carta del *Community News* dirigida a J. R. Penrose. Necesito una descripción completa, y la necesito ahora. —Colgó el teléfono bruscamente.

También Jonathan estaba en tensión ahora. Sin preámbulos, dijo:

—Doctor, no podemos perder tiempo tratando de abrir brecha en la amnesia de Nancy. Ha de saber usted que tengo un expediente muy completo sobre el caso Harmon gracias a un libro que estoy escribiendo. He pasado las últimas tres horas estudiando ese expediente y leyendo el artículo que apareció hoy. Algo me llamó la atención, me pareció de la mayor importancia, y pedí al jefe Coffin que telefonease al fiscal del distrito de San Francisco y comprobase mi teoría. El ayudante del fiscal acaba de contestar a su llamada.

Jonathan sacó la pipa de su bolsillo, clavó los dientes en ella sin encenderla y prosiguió:

—Doctor, como usted puede saber, en casos de niños perdidos en los que se sospecha algo sucio, a menudo la policía retiene un fragmento de información de modo que les sirva de ayuda para cribar los inevitables testimonios sin sentido que reciben cuando se ha publicado una desaparición.

Empezó a hablar más aprisa, como si sintiera que dejaba pasar demasiado tiempo.

—Yo observé que todos los relatos periodísticos de siete años atrás describían a los niños perdidos diciendo que llevaban jerseys rojos, con un dibujo blanco, cuando desaparecieron. En ninguna parte de todo el extenso material periodístico hay una descripción exacta de cómo era aquel dibujo. Yo supuse, acertadamente, que el motivo del dibujo había sido silenciado deliberadamente.

Jonathan miró directamente a Lendon, deseando que comprendiese inmediatamente la importancia de lo que iba a decirle.

—El artículo que ha aparecido en el *Cape Cod Community News* dice claramente que, cuando desaparecieron, los niños Harmon llevaban jerseys rojos con un dibujo blanco poco corriente que representaba un barco de vela, y que todavía los llevaban cuando sus cuerpos fueron arrojados a tierra por las aguas, unas semanas más tarde. Ahora bien, Nancy, naturalmente, conocía aquel dibujo del velero, pues había hecho los jerseys ella misma. Y sólo otra persona, además de los jefes del personal investigador de San Francisco, sabía cómo era aquel dibujo. —La voz de Jonathan se elevó—. Si suponemos la inocencia de Nancy, ¡esa otra persona es la que secuestró a los niños hace siete años...,. y hace un mes escribió la historia que aparece en el periódico de hoy!

—Entonces, quiere decir... —empezó Lendon.

—Doctor, quiero decir, como abogado y amigo de Nancy, que, si puede usted vencer su amnesia, hágalo..., ¡rápidamente! He convencido a Ray de que vale la pena renunciar a toda inmunidad. La necesidad suprema es descubrir lo que Nancy pueda saber; de otro modo, seguramente será demasiado tarde para salvar a los niños.

—¿Puedo telefonear a una farmacia para que entreguen algo? —preguntó Lendon.

—Llame usted, doctor —ordenó Jed—. Mandaré un coche patrulla a recoger lo que necesite. Tome... Le marcaré el número de la farmacia.

Con calma, Lendon dio por teléfono sus instrucciones y cuando hubo terminado fue a la cocina a por un vaso de agua. «¡Oh, qué estrago —pensó—, qué horrible estrago!» La tragedia había empezado con el accidente de Priscilla... Causa y efecto..., causa y efecto. Si Priscilla no hubiese muerto, probablemente hubiera persuadido a Nancy de que no se casara tan joven. Los niños Harmon no hubiesen nacido. De modo cortante, abandonó las inútiles especulaciones. La cocina, evidentemente, había sido revisada en busca de huellas digitales. Todavía se veían motas de polvo sobre los muebles, en el fregadero y en los hornillos. Nadie había quitado la mancha donde se derramó el café.

Volvió al comedor para oír al jefe Coffin:

—Recuerde, Jonathan: es posible que me exceda en mi autoridad, pero voy a poner una grabadora en esa sala cuando la joven sea interrogada. Si confiesa algo bajo el sedante, no podremos usarlo directamente, pero yo sabré qué debo preguntarle más tarde en un interrogatorio regular.

—No confesará nada —dijo impaciente Jonathan—. Lo que me preocupa es que, si aceptamos su inocencia como un hecho, no sólo en cuanto a la desaparición de Michael y Missy, sino también respecto al asesinato de los niños Harmon, entonces nuestra siguiente suposición será ésta: si el asesino de los niños Harmon escribió el artículo para el *Community News* y usó una oficina de correos de Hyannis, es que ha estado aquí, en el Cabo, desde hace algún tiempo.

—Y, según usted, secuestró esta mañana a los niños Eldredge —terminó el jefe Coffin.

Jonathan encendió su pipa y la aspiró vigorosamente antes de contestar:

—Me temo que es así.

El tono de su voz, deliberadamente falto de expresión, hizo que Lendon comprendiera lo que quería decir. Jonathan creía que, si el asesino de los niños Harmon se había llevado a Michael y Missy, éstos probablemente estaban ya muertos.

—Por otra parte —teorizó Jed— si suprimimos a la señora Eldredge como sospechosa, es igualmente posible que alguien que nunca apareció en el proceso Harmon sepa algo sobre esos asesinatos, escribiera el artículo y ahora haya secuestrado a los niños Eldredge. Una tercera posibilidad es que los dos casos no tengan ninguna relación, excepto que alguien que leyó el artículo y reconoció a Nancy Eldredge esté implicado en la desaparición de esta mañana. Los niños pueden haber sido secuestrados por una madre frustrada que sienta que Nancy no los merece. He visto en mis días racionalizaciones mucho más retorcidas que ésta.

—Jed —exclamó Jonathan—, lo que trato de decir es que, sea quien sea la otra persona implicada, hay un hecho muy claro: creo indiscutiblemente que Nancy sabía más de lo que dijo sobre la desaparición de sus hijos siete años atrás.

Lendon levantó una ceja. Jed frunció el ceño. Al ver las expresiones en los rostros de los dos hombres, Jonathan golpeó impacientemente la mesa con la mano.

—No digo que esa muchacha sea culpable. Digo que sabía más de lo que dijo; probablemente sabía más de lo que se daba cuenta que sabía. Miren sus fotografías en el banquillo de los testigos. Su cara es absolutamente inexpresiva. Lean la declaración: ¡Por el amor de Dios, hombre, lea su declaración en el proceso! Esa muchacha estaba ausente. Su abogado pudo hacer retirar la acusación basándose en un hecho técnico, pero esto no significa que no dejase que aquel fiscal del distrito la crucificara. Toda aquella escena hedía, y usted está tratando de repetirla aquí.

—Estoy tratando de alejarme de sus teorías..., pues esto es todo lo que son... Y cumplir mi cometido, que es recobrar a los niños..., muertos o vivos... Y descubrir quién les secuestró. —Jed, claramente, había acabado la paciencia—. En un momento me dice usted que está demasiado enferma para ser interrogada y en el momento siguiente que ella sabe más de lo que nunca dijo. Mire, Jonathan, usted mismo dijo que escribir un libro sobre veredictos discutibles es para usted un entretenimiento. Pero esas vidas no son entretenimientos para mí, y no estoy aquí para ayudarlo a usted a jugar al ajedrez con la ley.

—¡Alto! —Lendon puso una mano sobre el brazo del jefe—. Señor Knowles... Jonathan... Usted cree que cualquier conocimiento que tenga Nancy de la muerte de su primera familia puede ayudarnos a encontrar a los niños Eldredge.

—Exactamente. El problema es extraer ese conocimiento, no hundirlo más profundamente en su subconsciente. Doctor Miles, usted es considerado un experto en el uso del amital sódico en psiquiatría, ¿no es cierto?

—Sí.

—¿Es usted capaz de hacer que Nancy revele no sólo lo que sabe de los acontecimientos de esta mañana, que sospecho será nada, sino también información del pasado que ni siquiera ella misma sabe que posee?

—Es posible.

—Entonces, a menos que pueda decirnos algo

tangible sobre el paradero de Michael y Missy, le ruego a usted que lo intente.

Cuando Dorothy fue admitida de nuevo en la casa, una hora más tarde, en la estancia familiar y la cocina no había nadie más que Bernie Mills, el policía encargado de contestar al teléfono.

—Todos están ahí dentro —dijo señalando con un movimiento de cabeza hacia la sala de enfrente—. Está sucediendo algo muy raro.

Dorothy se apresuró a atravesar el vestíbulo, pero se detuvo a la puerta de la sala. El saludo que iba a pronunciar murió en los labios cuando contempló la escena que tenía delante.

Nancy yacía en el diván con una almohada bajo la cabeza y envuelta con un edredón. Un extraño que parecía ser médico estaba sentado a su lado hablando suavemente. Los ojos de Nancy permanecían cerrados. Ray, con aspecto angustiado, y Jonathan, con expresión severa, estaban uno al lado del otro en el sofá. Jed Coffin aparecía sentado ante una mesa detrás del diván, sosteniendo un micrófono encarado hacia Nancy.

Cuando Dorothy comprendió lo que estaba sucediendo, se dejó caer en una silla sin tomarse la molestia de quitarse el abrigo. Aturdida, deslizó sus dedos helados en los profundos bolsillos y apretó inconscientemente el pedazo de lana húmeda, vellosa, que sintió en el bolsillo de la derecha.

—¿Cómo se siente, Nancy? ¿Está usted cómoda? —La voz de Lendon era tranquila.

—Tengo miedo...

—¿Por qué?

—Los niños..., los niños...

—Nancy. Hablemos de esta mañana. ¿Durmió bien la noche pasada? Cuando despertó, ¿se sentía descansada?

El tono de voz de Nancy era reflexivo.

—Soñé... Soñé mucho...

—¿Qué soñó?

—Con Peter y Lisa... Estarían tan crecidos... Hace siete años que están muertos... —empezó a sollozar. Luego, mientras la mano de hierro de Jonathan retenía a Ray, exclamó—: ¿Cómo podía haberlos matado? ¡Eran mis hijos! ¿Cómo podía haberlos matado...?

15

Dorothy, antes de encontrarse con John Dragopoulos en la oficina, trató de disimular sus párpados enrojecidos con un poco de polvos. Intentó convencerse de que, después de todo, enseñar la casa de Hunt sería para ella una válvula de escape, una acción en la que podría concentrarse por un rato alejando su mente de la interminable búsqueda de indicios sobre el paradero de los niños. ¿Qué indicios?

Normalmente, llevaba a los posibles clientes a dar una breve vuelta por la zona antes de mostrarles la finca, para que viesen las playas y el lago y el paisaje marino, las soberbias casas antiguas que estaban esparcidas entre Cranberry Highway y la bahía, la asombrosa vista desde la torre Maushop y los linderos de la vieja población.

Pero hoy, con la cellisca que tableteaba duramente sobre el techo y las ventanillas del coche, con el cielo lleno de negros campos de nubes y el frío aire del mar que helaba hasta el mismo tuétano de los huesos, marchó directamente hacia El Mirador.

Le era difícil mantener el pensamiento en lo que estaba haciendo. Se sentía turbada y sacudida. Ella que no había llorado desde hacía años, tenía que morderse los labios para contener las lágrimas. Sentía un peso agobiador sobre los hombros, un peso de dolor y miedo que no podría soportar sola.

Mientras conducía el coche por la carretera traidoramente resbaladiza, dirigía de cuando en cuando una ojeada al hombre de tez morena que estaba a su lado. John Kragopoulos debía de tener más o menos cuarenta y cinco años. Tenía la corpulencia de un levantador de pesos y, sin embargo, había en su porte una elegancia que era completada por su manera de hablar, con ligero acento.

Dijo a Dorothy que él y su esposa acababan de vender su restaurante de Nueva York y acordaron que su próxima aventura sería en una zona donde pudiesen establecerse de modo permanente. Deseaban estar donde pudiese encontrarse gente retirada, en buena situación, para poder hacer también negocio en invierno además del que procura un lugar de veraneo.

Revisando mentalmente esos datos, Dorothy dijo:

—Nunca recomendaría invertir en un restaurante al otro lado del Cabo, que es sólo una masa de hoteles y pizzerías, ahora espantoso... Pero este lado del Cabo es todavía encantador. El Mirador tiene posibilidades ilimitadas como restaurante y posada. Durante los años treinta fue renovado extensamente y convertido en un club. En aquel tiempo la gente no tenía dinero para gastar en ningún club, así que nunca arraigó. Finalmente, el señor Hunt compró la casa y los terrenos, nueve acres en total, incluyendo trescientos metros de costa en propiedad y una de las vistas más bellas del Cabo.

—El Mirador, originalmente, fue la casa de un capitán, ¿no?

Dorothy comprendió que John Kragopoulos había hecho indagaciones en el lugar, señal segura de un verdadero interés.

—Sí, lo fue —contestó—. Fue construida por un capitán de ballenero de mil seiscientos noventa y tantos, como regalo a su desposada. La renovación más reciente, hace cuarenta años, añadió dos pisos, pero el tejado original fue vuelto a colocar, incluyendo uno de esos encantadores balconcitos cerca de la cima de la chimenea... «Paseo de la viuda», los llamaban, porque muchas esposas de capitanes solían atisbar en vano desde allí el retorno de sus hombres de una travesía.

—El mar puede ser traidor —dijo el cliente—. A propósito, ¿hay un muelle en la propiedad? Si me instalo allí, pienso comprar una embarcación.

—Uno muy bueno —le aseguró Dorothy—. ¡Oh, Señor!

Jadeó al notar que el coche patinaba peligrosamente cuando dio vuelta para entrar en el estrecho y serpenteante camino que llevaba a el Mirador. Trató de enderezar las ruedas y miró ansiosamente a su pasajero. Pero éste no parecía turbado y observó apaciblemente que ella era una señora valiente, ya que se arriesgaba a conducir por esos caminos helados.

Las palabras penetraron como un bisturí hasta el centro de la aflicción de Dorothy. Era un día espantoso. Sería un milagro si el coche no salía resbalando de aquel estrecho camino. Cualquier interés que se hubiese impuesto por mostrar la casa se desvaneció. Si el tiempo fuera siquiera decente, las playas, las calles y los bosques estarían llenos de hombres y muchachas buscando a Missy y a Michael; pero con este tiempo sólo uno muy robusto pensaría en salir..., especialmente cuando muchos creían que era una búsqueda inútil.

—No me importa conducir —dijo penosamente—; sólo lamento que el señor Eldredge no esté con nosotros. Estoy segura de que usted lo comprende.

—Lo comprendo muy bien —dijo Kragopoulos—. ¡Qué angustiosa experiencia para los padres, tener perdidos a los niños! Solamente siento robarle a usted tiempo hoy. Como amiga y colaboradora, estará preocupada.

Decidida, Dorothy no quiso contestar a la simpatía que mostraban la voz y las maneras del hombre.

—Déjeme decirle a usted algo más sobre la casa —siguió—. Todas las ventanas del frente dan sobre el mar. La puerta principal tiene un exquisito abanico, que era una característica de las mejores casas en aquella época. Las grandes estancias de la planta baja tienen maravillosas chimeneas con aleros. En un día como éste, mucha gente gozaría yendo a un restaurante donde pudiese contemplar la tormenta disfrutando de buena bebida, buena comida y un buen fuego. Ya llegamos.

Dieron vuelta a la curva y El Mirador apareció completamente a su vista. A Dorothy le pareció extrañamente descolorido y fúnebre, alzándose ante el terraplén amortajado. Los guijarros gastados por la intemperie eran de un gris muerto. La cellisca que golpeaba las ventanas y los porches parecía revelar sin piedad los postigos despintados y los escalones combados.

Se sorprendió al ver que el señor Parrish había dejado abiertas las puertas del garaje. Quizá había llevado dentro sus compras en la tienda y olvidado volver a salir para cerrar la puerta. Pero fue una suerte para ellos. Dorothy condujo hasta dentro del espacioso garaje y aparcó su coche al lado de la vieja furgoneta de Parrish, y así pudieron correr hacia la casa con alguna protección del alero del garaje.

—Tengo una llave de la puerta de atrás —dijo a John Kragopoulos cuando hubieron salido del coche—. Siento no haber pensado en traer el paraguas de golf de Ray. Espero que no se moje usted demasiado.

—No se preocupe por mí —replicó John—. Soy bastante duro. ¿No lo parezco?

Ella sonrió débilmente y asintió.

—Está bien, lancémonos.

Salieron corriendo del garaje y se mantuvieron pegados a la pared mientras recorrían los cinco metros hasta la puerta de la cocina. Aun así, la cellisca les apedreó la cara y el viento empujó sus abrigos.

Con disgusto, Dorothy encontró que la puerta

estaba cerrada con doble cerrojo. El señor Parrish podía haber sido más considerado, pensó con enojo. Buscó en su bolso la llave del cerrojo de arriba y la encontró. Dio un rápido apretón al timbre para hacer saber al señor Parrish que habían llegado. Pudo oír el sonido del timbre resonando arriba mientras empujaba la puerta.

El futuro comprador parecía impávido mientras se sacudía la cellisca del abrigo y se secaba la cara con un pañuelo. Era un hombre en sordina, sentenció Dorothy. Tuvo que dominarse para no parecer ni nerviosa ni demasiado charlatana al mostrar la casa. Todas las fibras de su ser le hacían desear llevar a este hombre corriendo a través de la casa. «Vea esto..., y esto..., y esto... Ahora déjame volver con Ray y Nancy, por favor; quizá ha llegado alguna noticia de los niños.»

Observó que John estaba examinando atentamente la cocina. Deliberadamente, sacó su pañuelo para secarse la cara mientras de súbito se daba cuenta de que llevaba su nuevo abrigo de invierno de gamuza. Esta mañana había decidido ponérselo a causa de esta cita. Sabía que le sentaba bien y que su tono grisáceo complementaba el color de sal y pimienta de su pelo. Los grandes y profundos bolsillos fueron los que le hicieron notar que no llevaba su viejo abrigo contra la nieve..., pero éste, ciertamente, hubiera sido mejor para hoy.

Y había algo más. ¡Oh, sí! Cuando se puso el abrigo se preguntó si Jonathan Knowles se detendría en la oficina esta tarde y quizá se fijaría en ella. Quizá sería éste el día en que le propondría cenar juntos. Había soñado en esto sólo hacía algunas horas. ¿Cómo podía cambiar todo tan rápidamente, tan terriblemente...?

—¿Señora Prentiss?

—Sí. ¡Oh, perdone! Creo que estoy un poco distraída hoy. —Su voz sonó falsamente alegre a sus propios oídos—. Como puede usted ver, esta cocina necesita ser modernizada, pero está muy bien construida y es espaciosa. Este hogar es lo bastante grande para cocer en él comida para una multitud..., pero estoy segura de que usted instalaría hornos modernos.

Había levantado la voz inconscientemente. El viento aullaba en torno a la casa con un ruido áspero y lúgubre. En alguna parte del piso de arriba oyó cerrarse una puerta y, sólo por un segundo, un gemido. Eran sus nervios; esta casa hoy la trastornaba. Además, la cocina estaba helada.

Rápidamente, pasó a las estancias de delante. Tenía prisa para hacer que el señor Kragopoulos tuviese esta primera impresión importante de la vista sobre el mar.

La dureza del día hizo resaltar más el asombroso panorama que encontraron sus ojos cuando se acercaron a las ventanas. Las olas cabrilleaban coléricas, se agitaban, se levantaban, caían, se estrellaban contra las rocas y retrocedían. Juntos contemplaron el tumultuoso azote de las aguas sobre las rocas, en la base de los riscos de abajo.

—Con la marea alta, estas rocas quedan completamente cubiertas —dijo— . Pero sólo un poco hacia la izquierda, pasado el rompeolas, hay una playa arenosa, grande y bella, que forma parte de la finca, y el muelle está justo después.

Le llevó de una estancia a otra haciéndole notar los magníficos pisos de roble. Las macizas chimeneas, las ventanas de cristales emplomados, la manera en que toda la disposición se prestaba para ser un bonito restaurante. Subieron al segundo piso y él examinó las grandes habitaciones que podrían alquilarse a los huéspedes para pasar la noche.

—Durante la renovación, convirtieron los dormitorios pequeños en cuartos de baño y los comunicaron con las habitaciones grandes —explicó Dorothy—. Como resultado, tenemos unas unidades muy hermosas que sólo necesitan ser pintadas y empapeladas. Solamente las camas de cobre, ya valen una fortuna. Realmente, la mayor parte del mobiliario es muy bueno... Mire esto, por ejemplo. Yo tenía antes un taller de decoración interior, y mi sueño era poder trabajar en una casa como ésta. Las posibilidades son infinitas.

El hombre estaba interesado. Dorothy lo vio por la manera cómo se tomaba tiempo para abrir las puertas de los armarios, golpear las paredes y abrir los grifos.

—El tercer piso tiene más dormitorios; y, luego, el apartamento del señor Parrish está en el cuarto piso —dijo Dorothy—. Ese apartamento fue proyectado por el gerente del club. Es muy espacioso y tiene una vista maravillosa sobre la población y sobre el mar.

Él paseaba por la estancia y no contestó. Sintiéndose demasiado premiosa y locuaz, Dorothy se dirigió a la ventana. Le daría oportunidad para considerar en silencio la casa y hacer todas las preguntas que se le ocurriesen. «Corra, corra», pensó.

Deseaba salir de aquí. La necesidad insistente de volver con Ray y Nancy, de saber qué sucedía, era abrumadora. Supongamos que los niños están a la intemperie en alguna parte, expuestos a este tiempo. Quizá ella debería tomar el coche y andar arriba y abajo; quizá sólo se habían alejado deambulando por ahí. Quizá, si ella tratase de buscar en el bosque, si los llamara... Sacudió la cabeza. ¡Se ponía tan tonta!

Cuando Nancy dejó a Missy en la oficina con ella, ayer, le dijo: «Por favor, hazle ponerse los guantes cuando salgáis. Se le enfrían mucho las manos.» Nancy se echó a reír al entregar los guantes a Dorothy, diciendo: «Como puedes ver, no son del mismo par..., pero no me preocupo. Esta niña siempre está perdiendo guantes.» Le había dado un guante rojo con una cara sonriente y uno a cuadros azules y verdes.

Dorothy recordaba la alegre sonrisa de Missy cuando tendió las manos al ir a salir: «Mamá dijo que no olvides mis guantes, tía Dorothy», le advirtió en tono de reproche. Más tarde, cuando habían recogido ya a Mike y se detuvieron para tomar un helado, preguntó: «¿Está bien que me quite los guantes mientras como el helado?» Bendita niña. Dorothy se secó las lágrimas que acudieron a sus ojos.

Con determinación, se repuso y se volvió hacia John Kragopoulos, quien acababa de tomar nota de las dimensiones de la estancia.

—Ya no se ven techos altos como éstos, excepto en estas maravillosas casas antiguas —dijo regocijado.

Ella ya no podía tolerar más la permanencia allí.

—Vayamos arriba ahora —dijo de pronto—. Creo que le gustará la vista desde el apartamento. —Pasó delante hacia el vestíbulo y empezó a subir la escalera—. ¡Ah! ¿Observó usted que hay cuatro zonas de calefacción en esta casa? Esto ahorra mucho combustible.

Subieron rápidamente los dos tramos de escalera.

—El tercer piso es exactamente igual que el segundo —explicó Dorothy cuando pasaron por delante de él—. El señor Parrish ha tenido alquilado el apartamento una y otra vez durante seis o siete años, creo. Paga un alquiler mínimo, pero el señor Eldredge piensa que la presencia de un inquilino disuade a los vándalos. Aquí estamos..., ante el vestíbulo —llamó a la puerta del apartamento, mas no hubo respuesta—. ¡Señor Parrish —gritó—, señor Parrish!

Empezó a abrir el bolso.

—Es raro. No puedo imaginar a dónde iría sin su coche. Pero tengo una llave aquí, en algún lado —empezó a registrar el bolso, sintiendo un disgusto irrazonable.

Por teléfono le había parecido evidente que al señor Parrish le molestaba que trajese a alguien. Esperaba que el apartamento estaría aseado. No había tanta gente dispuesta a hacer una inversión de trescientos cincuenta mil dólares. Nadie se había interesado por la finca durante casi un año.

Dorothy no se dio cuenta de que la manija de la puerta estaba girada desde adentro. Pero, cuando la puerta fue abierta de súbito, observó, dio un resuello y se quedó mirando fijamente a los ojos inquisidores y la cara sudorosa del inquilino del cuarto piso, Courtney Parrish.

—¡Qué terrible día para tener usted que venir!

El tono de Parrish era cortés cuando se hizo a un lado para dejarlos pasar. Sosteniendo la puerta y apartándose, razonó él, podría quizá evitar darles un apretón de manos. Notaba que sus manos estaban empapadas de sudor.

Su mirada iba del uno al otro. ¿Habrían oído a la niña..., aquel único grito? Fue muy tonto..., dándole tanta importancia. Después de la llamada telefónica, tuvo que apresurarse mucho. Al recoger la ropa de los niños, en su excitación, casi olvidó la camiseta de la niña. Luego, el bote de polvos se derramó. Tuvo que limpiarlo.

Había pegado con esparadrapo las manos, los pies y la boca de los niños, y los había ocultado en aquella habitación secreta de detrás de la chimenea, abajo, que había descubierto unos meses antes vagando por la casa. Sabía que esas habitaciones ocultas eran peculiares de muchas casas antiguas del Cabo. Los primeros colonizadores las usaban para ocultarse durante los ataques de los indios. Pero después le entró pánico. ¿Y si aquella estúpida mujer vendedora de fincas conocía la existencia de esa habitación y decidía mostrarla? Se abría por medio de un resorte que estaba en la librería de la pared, en la habitación principal de la planta baja.

Supongamos que la conoce; sólo supongámoslo. Cuando ya el Buick de Dorothy entraba en el garaje, se precipitó desde su punto de observación en la ventana y bajó corriendo para sacar a los niños. Los llevó arriba y los metió dentro de uno de los profundos armarios del dormitorio. Mejor..., mucho mejor. Podría decir que usaba ese armario para almacenar cosas y que no encontraba la llave. Como había puesto en él un cerrojo nuevo, esa tonta vendedora de fincas no podría tener un duplicado de la llave. Además, el otro armario de la habitación era prácticamente del mismo tamaño. Podría mostrar ése. Aquí es donde podía cometer un error..., complicando las cosas.

Se entretuvieron abajo bastante tiempo para que él pudiera hacer una última inspección del apartamento. No había olvidado nada, estaba seguro de ello. La bañera estaba todavía llena, pero había decidido dejarla así. Sabía que se había mostrado demasiado molesto por teléfono. Dejemos que Dorothy pensase que ésta era la razón: estaba a punto de bañarse. Esto justificaría su molestia.

Deseaba tanto volver a ocuparse de la niña, que aquello le era doloroso. Desde el fondo de sus entrañas, sentía un deseo frenético. Ahora mismo, ahí estaba ella, a poca distancia de todos ellos, detrás de esa puerta, con su cuerpecito semidesnudo. ¡Oh, no podía esperar! Cuidado. Cuidado. Trataba de prestar atención a la voz de la razón, que le advertía, pero era tan difícil...

—John Kragopoulos.

Ese maldito insistía en estrecharle la mano. Torpemente, trató de secarse, con el pantalón, la palma de ésta antes de estrechar la que le era tendida y que no podía ignorar.

—Courtney Parrish —dijo sombrío.

Pudo ver la fugaz expresión de disgusto en la cara del otro hombre cuando sus manos se tocaron. Probablemente era un asqueroso homosexual. La mitad de los restaurantes de este lado del Cabo eran regentados por homosexuales. Ahora querían también esta casa. Bueno, muy bien. Después de hoy, él ya no la necesitaría.

De pronto comprendió que, si la casa se vendía, nadie encontraría nunca sospechoso que Courtney Parrish no volviese al Cabo. Entonces podría perder peso y dejarse crecer el pelo y cambiar totalmente su aspecto otra vez, porque querría estar aquí para el proceso de Nancy, después de que hubiesen encontrado los cadáveres de los niños y la hubiesen acusado. Vamos, esto no era ningún problema. El destino jugaba a su favor. Tenía que ser así.

Se estremeció, mientras una ola de regocijo invadía su cuerpo. ¡Caramba!, incluso podría preguntar por Nancy. Sería sólo lo propio de un vecino. Sintiéndose confiado de súbito, dijo cortésmente:

—Estoy encantado de conocerle, señor Kragopoulos; y lamento este mal tiempo con que por primera vez observa esta casa maravillosa.

Milagrosamente, la humedad desaparecía de sus manos, sus axilas y sus ingles.

En la salita, la tensión se aflojó súbitamente. Él comprendió, de todas maneras, que la mayor parte de ello se debía a Dorothy. ¿Por qué no? La había visto incontables veces durante estos últimos años, entrando y saliendo de la casa de Eldredge, empujando a los niños en el columpio, llevándoselos en su coche. La tenía clasificada: una de esas viudas tristes de mediana edad que tratan de ser importantes para alguien; un parásito. El marido, muerto. Sin hijos. Milagro si no tiene una vieja madre enferma. La mayoría de ellas la tienen; esto las ayuda a ser mártires ante sus amigos. Tan buena con su madre. ¿Por qué? Porque necesitan ser buenas para alguien. Tienen que ser importantes. Y, si tienen hijos, se concentran en ellos. Como había hecho la madre de Nancy.

—He estado escuchando la radio —dijo a Dorothy— y estoy emocionado. ¿Han sido ya encontrados los niños de Eldredge?

—No. —Dorothy se sintió vibrar todos los extremos de los nervios. Desde allí podía oír que la radio estaba puesta. Captó la palabra «noticias»—. Perdónenme —exclamó, y corrió hacia la sala y la radio. Rápidamente subió el volumen.

«... la tempestad aumenta. Se predicen vientos de ochenta a noventa y cinco kilómetros por hora. Bucear es peligroso. La búsqueda de los niños Eldredge por aire y por agua ha sido suspendida indefinidamente. Los coches patrulla oficiales continuarán recorriendo Adams Port y sus cercanías. El jefe Coffin, de Adams Port, insta, a cualquiera que crea tener alguna información, a que la comunique inmediatamente. Insiste en que cualquier incidente sospechoso sea tratado con la policía; como, por ejemplo, que se hubiese visto un vehículo extraño en las inmediaciones de la casa de Eldredge, alguna persona desconocida en la comarca. Llamen a este número especial: KL cinco tres ochocientos. Su intimidad será respetada.»

La voz del locutor prosiguió:

«A pesar de la urgente demanda de indicios sobre los niños perdidos, sabemos de buena fuente que la señora Nancy Harmon Eldredge será llevada a la comisaría para ser interrogada.»

Tenía que ir junto a Nancy y Ray. Se volvió súbitamente hacia John Kragopoulos.

—Como puede usted ver, ésta es una habitación encantadora, muy conveniente para dos personas. La vista desde las ventanas de esta habitación, tanto las del frente como las posteriores, es realmente espectacular.

—¿Es usted astrónomo, acaso? —preguntó Kragopoulos a Courtney Parrish.

—No realmente. ¿Por qué causa lo pregunta usted?

—Por este magnífico catalejo.

Demasiado tarde, Parrish se dio cuenta de que el catalejo estaba todavía orientado hacia la casa de Eldredge. Viendo que John Kragopoulos se disponía a mirar por él, dio al aparato un brusco empujón que lo inclinó hacia arriba.

—Me gusta estudiar las estrellas —dijo apresuradamente.

John Kragopoulos cerró un ojo mientras miraba por la lente.

—¡Magnífico equipo! —exclamó—. Simplemente magnífico.

Manipuló con cuidado el catalejo hasta que estuvo colocado en la misma dirección de cuando lo descubrió. Luego, sintiendo el antagonismo del otro, se enderezó y empezó a examinar la estancia.

—Ésta es una habitación muy bien dispuesta —comentó a Dorothy.

—Me he sentido comodísimo aquí —afirmó Parrish.

Interiormente se encolerizaba consigo mismo. Una vez más había reaccionado en exceso, de un modo sospechoso. Otra vez su cuerpo transpiraba. ¿Había olvidado algo más? ¿Había por allí algún indicio de los niños? Su mirada recorrió frenéticamente la estancia. Dorothy dijo:

—Me gustaría enseñarle el dormitorio y el baño, si se puede.

—Naturalmente.

Había alisado la colcha de la cama y metido el bote de polvos en el cajón de la mesita de noche.

—El cuarto de baño es tan grande como la mayoría de los dormitorios secundarios de hoy —dijo Dorothy a John Kragopoulos. Luego de mirar alrededor, añadió—: ¡Oh!, lo siento. —Dirigía la vista a la bañera llena—. Le encontramos a usted en un momento inconveniente. Iba a bañarse.

—No sigo un horario fijo —a pesar de las palabras, logró producir la impresión de que realmente le habían molestado.

John Kragopoulos se apresuró a volver al dormitorio. Comprendió que a ese hombre, evidentemente, le molestaba su visita. Dejar la bañera así era una manera burda de hacerlo ver. Y aquel pato flotando en la bañera. Un juguete de niño. Respingó, disgustado. Su mano tocó la puerta del armario. La calidad satinada de la madera le intrigó. Esta casa, de veras, estaba hermosamente construida. John Kragopoulos era un hombre de negocios endurecido, pero también creía en el instinto. Su instinto le dijo que esta casa constituiría una buena inversión. Querían trescientos cincuenta mil por ella... Ofrecería doscientos noventa y cinco y subiría hasta trescientos veinte. Estaba seguro de que la obtendría por esta cantidad.

Tomada la decisión en su mente, empezó a poner un interés de propietario en la casa.

—¿Puedo abrir este armario? —preguntó.

La pregunta era formularia. Ya estaba dando vuelta a la manija.

—Lo siento. Cambié el cerrojo de este armario y no puedo encontrar la llave. Si quiere usted ver este otro... Son prácticamente idénticos.

Dorothy miró la manija y el cerrojo nuevos. Ambos eran artículos corrientes de ferretería de bajo precio.

—Espero que haya usted conservado la manija original —dijo—. Todos los tiradores de las puertas eran de cobre sólido forjado especialmente.

—Sí, la tengo. Necesita arreglo.

¡Dios mío!, ¿insistiría esta mujer en dar vuelta a la manija? ¿Y si el nuevo cerrojo cediese? No quedaba muy fijo en la vieja madera. ¿Y si se abriese?

Dorothy soltó la manija. La ligera indignación que había sentido desapareció tan rápidamente como había venido. ¡Por el amor de Dios!, ¿qué importaba si eran cambiadas todas las manijas de cobre del universo entero? ¿Qué importaba?

Parrish tuvo que apretar los labios para no poner a la puerta a esa ruidosa mujer y su futuro comprador. Los niños estaban al otro lado de la puerta. ¿Les habría apretado bastante las mordazas? ¿Oirían la voz de ella y tratarían de hacer alguna clase de ruido? Tenía que desprenderse de esta gente.

Pero Dorothy también deseaba irse. Percibía en el dormitorio un perfume indefinidamente familiar..., uno que le recordaba mucho a Missy. Se volvió hacia John Kragopoulos.

—Quizá podríamos irnos..., si está usted dispuesto.

Él asintió.

—Estoy dispuesto del todo, gracias.

Empezó a salir, esta vez evitando obviamente el apretón de manos. Dorothy le siguió.

—Gracias, señor Parrish —dijo apresuradamente por encima del hombro—. Estaré en comunicación con usted.

Bajó en silencio la escalera hasta la planta baja. Atravesaron la cocina y, cuando abrió la puerta, pudo ver la efectividad de los pronósticos de viento tormentoso. El viento había aumentado mucho en el breve tiempo que estuvieron en la casa. ¡Dios mío!, los niños morirían de frío si estuviesen a la intemperie todo aquel tiempo.

—Será mejor que corramos hasta el garaje —dijo.

John Kragopoulos, con aire preocupado, asintió y la tomó del brazo. Corrieron juntos, sin preocuparse de mantenerse bajo el alero. Con la velocidad creciente del viento, simplemente no había protección posible contra la cellisca, que ahora se mezclaba con nieve.

En el garaje, Dorothy pasó entre la furgoneta y

su coche y abrió la puerta del lado del conductor. Cuando empezaba a entrar en él, miró hacia abajo. Un pedazo de tejido de un rojo brillante, en el suelo del garaje, atrajo su mirada. Retrocedió e, inclinándose, recogió el objeto; luego, dejándose caer en el asiento, lo apretó contra su mejilla.

John Kragopoulos, alarmado, preguntó:

—Querida señora Prentiss, ¿pasa algo malo?

—¡Es el guante! —exclamó Dorothy—. Es el guante de Missy. Lo llevaba ayer cuando la llevé a tomar un helado. Debió de dejarlo en el coche. Supongo que yo lo hice caer afuera, con el pie, cuando salí del coche antes. Siempre perdía sus guantes. Nunca tenía dos que hiciesen juego. Y siempre bromeábamos por esto. Y esta mañana encontraron en el columpio el que hacía pareja con éste.

Dorothy empezó a sollozar: un sonido seco, una tos que trataba de ahogar apretando el guante contra sus labios.

John Kragopoulos dijo en tono bajo:

—Poco puedo decirle, excepto recordarle que hay un Dios misericordioso y amante que se da cuenta de su dolor y de la angustia de los padres. No dejará de socorrerlos de alguna manera, confío. Ahora, por favor, ¿no quiere que conduzca yo?

—Se lo agradeceré —dijo Dorothy con voz ahogada.

Se metió el guante en el fondo del bolsillo mientras se deslizaba sobre el asiento. No quería que Nancy ni Ray vieran el guante; sería demasiado penoso. ¡Oh, Missy, Missy! Se lo quitó cuando empezaba a comer el helado, ayer. Podía aún verla dejándolo caer sobre el asiento. ¡Oh, pobres criaturas!

John Kragopoulos estaba contento de poder conducir.

Una gran inquietud le había invadido allá, en la habitación, con aquel hombre repugnante. Había algo en él demasiado viscoso y maloliente. Y aquel perfume de polvos para niño en el dormitorio, y aquel increíble juguete en la bañera. ¿Cómo puede un hombre mayor necesitar tales cosas?

Arriba, Parrish se colocó a un lado de la ventana y vigiló hasta que el coche desapareció en la curva del camino. Entonces, con dedos temblorosos, sacó la llave de su bolsillo, y abrió la puerta del armario.

El niño estaba consciente. El pelo color de arena le caía sobre la frente y sus grandes ojos azules estaban llenos de terror mientras miraba, mudo, hacia arriba. Todavía tenía la boca bien cerrada con esparadrapo y las manos y los pies firmemente amarrados.

Empujó rudamente al niño afuera y alargó las manos hacia la niña. Levantó su cuerpo inerte y lo dejó sobre la cama... Luego sofocó un grito de horror y desesperación al ver sus ojos cerrados y su hinchado rostro azulado...

16

Nancy abría y cerraba las manos, tirando de la manta. Lendon le cubrió los dedos con sus manos fuertes y bien formadas. La ansiedad y la agitación la hacían respirar con esfuerzo y aspereza.

—Nancy, no se preocupe. Todo el mundo sabe aquí que usted no pudo hacer daño a sus hijos. Esto es lo que quiere decir, ¿verdad?

—Sí..., sí... La gente piensa que pude hacerles daño. ¿Cómo podría matarlos? Son yo misma. Yo morí con ellos...

—Todos morimos una pequeña muerte cuando perdemos a las personas que amamos, Nancy. Piense, conmigo, en antes de que empezase todo el problema. Dígame cómo era su vida cuando estaba creciendo en Ohio.

—¿Creciendo? —La voz de Nancy se hizo un susurro. La rigidez de su cuerpo empezó a relajarse.

—Sí, hábleme de su padre. Yo no le conocí.

Jed Coffin se movió inquieto y la silla en que estaba sentado crujió contra el piso de madera. Lendon le dirigió una mirada de advertencia.

—Tengo razones para esto —dijo con calma—. Por favor, sígame.

—¿Papá? —la voz de Nancy sonó con cierta alegría. Una risa suave—. ¡Era tan gracioso! Mi madre y yo solíamos ir en coche al aeropuerto a recogerle cuando volvía de un vuelo. En todos aquellos años nunca volvió de un viaje sin algo para mamá y para mí. Durante sus vacaciones íbamos por todo el mundo. Siempre me llevaban con ellos. Recuerdo un viaje...

Ray no podía apartar la mirada de Nancy. Nunca la había oído hablar en aquel tono..., animado, divertido, con una pequeña onda de risa a través de sus palabras. ¿Era esto lo que él, ciegamente, había tratado de encontrar en ella? ¿Era algo más que el cansancio de vivir con el miedo del descubrimiento? Lo esperaba.

Jonathan Knowles escuchaba con atención a Nancy, aprobando la técnica que Lendon Miles empleaba para ganarse la confianza de Nancy y tranquilizarla antes de preguntarle sobre los detalles del día en que los niños Harmon desaparecieron. Era angustioso oír el leve tictac del reloj del abuelo..., un recuerdo de que el tiempo pasaba. Se dio cuenta de que le era imposible no mirar a Dorothy. Sabía que había estado áspero cuando le habló mientras ella subía al coche. Era la decepción con que había reaccionado a la deliberada falsedad de Dorothy..., al hecho de que le hablase personalmente de que conoció a Nancy de niña.

¿Por qué había hecho esto? ¿Era quizá porque él había indicado de alguna manera que Nancy le parecía conocida? ¿Había sido, simplemente, un intento de mantenerlo alejado de la verdad, porque no podía confiar en él para revelársela? ¿Quizá él había mostrado lo que Emily llamaba sus maneras de «abogado defensor»?

De todas maneras, sentía que debía una excusa a Dorothy. Ella no tenía buen aspecto. La tensión se revelaba en ella. Tenía todavía puesto su pesado abrigo y sus manos metidas en los bolsillos. Decidió hablar con ella a la primera oportunidad. Dorothy necesitaba que se la calmase. Estaba obsesionada por los niños.

Las luces de la estancia parpadearon y luego se apagaron.

—Era de esperar.

Jed Coffin dejó el micrófono sobre la mesa y buscó las cerillas. Ray encendió rápidamente las antiguas lámparas de gas colocadas a cada lado de la repisa. Arrojaban un resplandor amarillo que se mezclaba con las vivaces llamas rojas de la chimenea, bañando con una luz rosada el diván donde Nancy yacía y proyectando profundas sombras en los rincones de la oscura sala.

A Ray le pareció que el constante tableteo de la cellisca contra la casa y el gemido del viento a través de los pinos se habían intensificado. ¿Y si los niños estuviesen a la intemperie en alguna parte, con este tiempo...? La noche pasada se había despertado oyendo a Missy toser, pero cuando fue a su habitación estaba de nuevo profundamente dormida, con la mejilla en la palma de la mano.

Mientras él se inclinaba para arroparla, murmuró: «Papá», y se agitó, pero al sentir el contacto de la mano de su padre sobre la espalda se tranquilizó de nuevo.

Y Michael. Él y Mike habían ido por leche a la tienda de Wiggins... ¿Fue ayer por la mañana? Llegaron en el preciso momento en que el inquilino de el Mirador, el señor Parrish, salía. El hombre inclinó la cabeza con amabilidad, pero cuando hubo subido a su vieja furgoneta Ford, la cara de Michael se arrugó con aversión. «No me gusta», dijo.

Ray casi sonrió con el recuerdo. Mike era un niño áspero, pero tenía algo del desagrado de Nancy por la fealdad, y, lo tomase uno como quisiera, Courtney Parrish era un hombre torpe, de movimientos lentos, sin nada de atractivo.

Hasta los Wiggins hicieron comentarios sobre él. Cuando hubo salido, Jack Wiggins dijo secamente: «Ese tipo es el hombre de movimientos más lentos con quien me he topado en la vida. Da vueltas por aquí, comprando, como si tuviese todo el tiempo del mundo.»

Michael pareció reflexionar: «Yo nunca tengo bastante tiempo —dijo—. Ayudo a mi papá a pulir un pupitre para mi cuarto y cada vez que quiero seguir trabajando en él tengo que prepararme para ir a la escuela.»

«Tiene usted un buen ayudante, Ray —observó Jack Wiggins—. Le daría un empleo en cualquier momento; parece muy trabajador.»

Mike cogió el paquete. «Además, soy fuerte —dijo—. Puedo cargar cosas. Puedo sostener a mi hermana durante largo rato.»

Ray apretó los puños. Esto era irreal, imposible. Los niños perdidos. Nancy bajo sedantes. ¿Qué estaba diciendo?

La voz de Nancy tenía aún aquel tono alegre.

—Papá nos llamaba, a mi madre y a mí, «sus chicas»... —Su voz se quebró.

—¿Qué pasa, Nancy? —preguntó el doctor Miles—. ¿Su padre la llamaba «su niña»? ¿Esto la trastorna?

—No..., no..., no... Nos llamaba «chicas». Era diferente... No, así, de ninguna manera... —Su voz se elevó en son de protesta.

La voz de Lendon era tranquilizante:

—Muy bien, Nancy. No se preocupe por esto. Hablemos de la universidad. ¿Quiso usted alejarse para ir a la escuela?

—Sí..., realmente lo deseaba... Excepto que... estaba preocupada por mamá.

—¿Por qué se preocupaba usted por ella?

—Temía que se encontrase sola..., por lo de papá... Y habíamos vendido la casa; ella se trasladó a un apartamento. Habían cambiado muchas cosas para ella. Y había empezado un nuevo trabajo. Pero le gustaba trabajar... Dijo que quería que yo me fuese... Le gustaba decir que hoy..., hoy...

—Hoy es el primer día del resto de su vida —terminó Lendon, con calma.

Sí, Priscilla se lo había dicho a él también. El día en que entró en el despacho después de haber dejado a Nancy en el avión para irse a la escuela. Le habló a él de cómo todavía agitaba la mano diciendo adiós cuando ya el avión se había alejado corriendo por la pista. Luego sus ojos se llenaron de lágrimas y sonrió con aire de pedir perdón. «Mira qué ridícula soy —dijo tratando de reír—; la clásica madre clueca.»

«Creo que te portas muy bien», le dijo Lendon.

«Sólo que, cuando una piensa cómo su vida puede cambiar..., tan increíblemente. De pronto, toda una parte, la parte más importante..., ha terminado. Pero, por otro lado, pienso que, cuando has tenido algo tan maravilloso..., tanta felicidad..., no puedes mirar atrás y lamentarte. Esto es lo que dije a Nancy hoy... No quiero que se preocupe por mí. Quiero que lo pase maravillosamente en la escuela. Le dije que ambas debíamos recordar este lema: "Hoy es el primer día del resto de nuestras vidas."»

Lendon recordaba que un paciente había entrado en el despacho. En aquel momento, lo consideró una bendición: había estado peligrosamente a punto de rodear a Priscilla con sus brazos.

—... pero todo fue bien —dijo Nancy, con la voz todavía vacilante y como a tientas—. Las cartas de mi madre eran alegres. Le encantaba su trabajo. Hablaba mucho del doctor Miles... Yo estaba contenta...

—¿Le gustaba la escuela, Nancy? —preguntó Lendon—. ¿Tenía muchos amigos?

—Al principio. Me gustaban las compañeras y a menudo salía con muchachos.

—¿Y qué me dice de su trabajo escolar? ¿Le gustaban las materias?

—¡Oh, sí! Todas me eran muy fáciles..., excepto la biología...

Su tono había cambiado, se había turbado de pronto.

—Ésa era más difícil. Nunca me gustó la ciencia..., pero en el *college* la exigían... Así que la acepté.

—Y conoció a Carl Harmon.

—Sí. Él... quería ayudarme con la biología. Me hacía ir a su despacho y se ponía a trabajar conmigo. Me decía que salía demasiado y que debía dejar de hacerlo o me pondría enferma. Estaba preocupado... Incluso empezó a darme vitaminas. Debía de tener razón..., porque me sentía tan cansada..., tanto... Y empecé a sentirme tan deprimida... Echaba de menos a mi madre...

—Pero sabía que estaría en casa por Navidad.

—Sí... Y esto no tenía sentido... De pronto..., me fue tan mal... No quería trastornar a mamá..., así que no se lo escribí..., pero creo que ella lo sabía... Vino un fin de semana... porque estaba preocupada por mí..., lo sé... Y entonces se mató... porque había venido a verme... Fue culpa mía..., culpa mía... —Su voz se elevó con un chillido de dolor, luego estalló en un sollozo.

Ray empezó a levantarse del asiento, pero Jonathan le retuvo. La lámpara de petróleo parpadeó sobre el rostro de Nancy, alterado por el dolor.

—¡Madre! —gritó—. ¡Oh, madre..., por favor, no estés muerta...! ¡Vive! ¡Oh, madre, por favor, por favor, vive...! Te necesito... ¡Madre, no estés muerta..., madre...!

Dorothy volvió la cabeza, tratando de contener las lágrimas. No era de extrañar que Nancy se hubiese resentido cuando Dorothy dijo que era como una abuela sustituta para Missy y Michael. ¿Por qué estaba allí? Nadie se daba cuenta siquiera de su presencia ni le importaba. Sería más útil si salía y hacía café. Nancy podría querer café más tarde. Debería quitarse el abrigo. No pudo. Se sentía tan fría, tan sola. Miró la alfombra durante un momento y mantuvo la mirada fija hasta que el dibujo se borró ante sus ojos. Levantando la cabeza, se encontró con la mirada inescrutable de Jonathan Knowles y supo que la había estado observando desde hacía un rato.

—... Carl la ayudó a usted cuando murió su madre. ¿Fue bueno para usted?

¿Por qué Lendon Miles alargaba esta angustia? ¿Qué sentido tenía hacer que Nancy reviviese también esto? Dorothy se puso de pie. La respuesta de Nancy fue tranquila:

—¡Oh, sí! Fue muy bueno para mí... Se ocupó de todo.

—Y se casó usted con él.

—Sí. Dijo que me cuidaría. Y yo estaba tan cansada... Él era tan bueno conmigo...

—Nancy, no debe usted culparse del accidente de su madre. Eso no fue culpa suya.

—¿Accidente? —El tono de Nancy era especulativo—. ¿Accidente? No fue un accidente, no lo fue.

—Claro que lo fue. —La voz de Lendon seguía calmada, pero él podía sentir la tirantez de los músculos de su garganta.

—No sé, no sé...

—Bueno, hablaremos de ello más tarde. Háblenos de Carl.

—Fue bueno conmigo...

—Insiste diciendo esto, Nancy. ¿De qué modo fue bueno para usted?

—Me cuidó. Yo estaba enferma; tenía que hacer tanto por mí...

—¿Qué hizo por usted, Nancy?

—No quiero hablar de esto.

—¿Por qué, Nancy?

—No quiero, no quiero...

—Está bien. Háblenos de los niños. De Peter y Lisa.

—Eran tan buenos...

—Se portaban bien, quiere decir.

—Eran muy buenos..., demasiado buenos...

—Nancy, repite usted mucho el «buenos». Carl era muy bueno para usted. Y los niños eran buenos. Debió de ser usted muy feliz.

—¿Feliz? Estaba tan cansada...

—¿Por qué estaba usted tan cansada?

—Carl decía que estaba enferma. Era muy bueno conmigo.

—Nancy, debe decírnoslo. ¿De qué modo era bueno Carl con usted?

—Procuraba que mejorase. Quería que mejorase. Decía que tenía que ser una niña buena.

—¿De qué manera se sentía enferma, Nancy? ¿Qué le dolía?

—Estaba tan cansada..., siempre tan cansada... Carl me ayudaba...

—¿Cómo la ayudaba?

—No quiero hablar de esto.

—Pero debe hacerlo, Nancy. ¿Qué hacía Carl?

—Estoy cansada..., estoy cansada ahora...

—Está bien, Nancy. Quiero que descanse unos minutos; después hablaremos un poco más. Nada más descanse..., nada más descanse...

Lendon se levantó. El jefe Coffin le asió inmediatamente del brazo y con la cabeza señaló hacia la cocina. En cuanto hubieron salido de la sala, el jefe Coffin habló bruscamente:

—Esto no nos conduce a ninguna parte. Puede durar horas, y no descubrirá usted nada. La muchacha se acusa del accidente de su madre porque ésta había hecho el viaje para verla. Es así de simple. Ahora bien, si cree usted que puede descubrir algo más sobre los asesinatos de los Harmon, adelante. O bien la interrogo en la comisaría.

—No se la puede forzar... Está empezando a hablar... Hay muchísimo más con lo que ni siquiera su subconsciente quiere enfrentarse.

El jefe le disparó:

—Y yo no quiero enfrentarme con mí mismo si hay alguna probabilidad de que esos niños estén aún con vida y resulta que yo he perdido aquí un tiempo precioso.

—Está bien, me pondré a interrogarla sobre lo de esta mañana. Pero antes, por favor, déjeme hacerle preguntas sobre el día en que desaparecieron los niños Harmon. Si hay alguna relación entre ambos casos, ella puede revelarla.

El jefe Coffin miró su reloj.

—Bien, son ya casi las cuatro. La poca visibilidad que hubo durante el día desaparecerá dentro de media hora. ¿Dónde está la radio? Quiero oír la emisión de noticias.

—Hay una en la cocina, jefe —dijo Bernie Mills.

Bernie Mills, el policía de guardia en la casa, era un hombre afanoso, de poco más de treinta años, con pelo oscuro. Hacía doce años que pertenecía a la fuerza pública y éste era, con mucho, el caso más sensacional que había conocido. Nancy Harmon. ¡Nancy Eldredge era Nancy Harmon! La esposa de Ray Eldredge. Estaba demostrado. Uno nunca sabe lo que hay dentro de las personas. Bernie había jugado a pelota en el mismo equipo que Ray Eldredge, los veranos, cuando eran pequeños. Luego Ray pasó a una de esas escuelas preparatorias elegantes y al Darmouth College. Nunca esperó que Ray se estableciera en el Cabo cuando terminara el servicio, pero lo hizo. Cuando se casó con la muchacha que había alquilado esta casa, todo el mundo dijo que ella era bonita. Unas pocas personas comentaron que parecía recordarles a alguien.

Bernie recordaba su propia reacción a aquella charla. Hay muchas personas que se parecen a alguna otra. Su mismo tío, un sablista y borracho que hizo desgraciada la vida de su tía, tenía un gran parecido con Barry Goldwater. Bernie miró rápidamente por la ventana. Los informadores de la televisión estaban todavía allí, con su camión y todos sus aparatos. A la pesca de una historia. Se preguntó qué pensarían si supiesen que en este momento se estaba inyectando a Nancy Eldredge el suero de la verdad. Vamos, he aquí una historia. Estaba ansioso por llegar a casa y contársela a Jean. Se preguntó cómo le iría a Jean: el niño estaba echando los dientes y la noche pasada los tuvo a ambos levantados.

Por un solo minuto terrible, Bernie pensó en cómo se sentiría si el pequeño se perdiera en un día como éste..., rondando por algún lado..., y él sin saberlo. La perspectiva era tan horrible, tan agobiante, tan trastornadora, que la rechazó. Jean nunca apartaba sus ojos de Bobby. A veces fastidiaba a Bernie por el ajetreo que se traía con el niño. En este momento, la manera como Jean nunca perdía de vista al pequeño le tranquilizaba, aliviaba sus temores. El pequeño está bien... Confía en Jean.

Dorothy estaba en la cocina llenando la cafetera. Bernie pensó que Dorothy le fastidiaba un poco. Tenía unas maneras tan..., bueno, quizá se puede decir reservadas. Podía ser agradable y amistosa..., pero, claro, Bernie no lo sabía. Decidió que Dorothy era algo demasiado ampulosa para su gusto.

Abrió el transistor e inmediatamente la voz de Dan Phillips, el locutor del noticiario de la WCOD, de Hyannis, llenó la estancia:

«El caso de los niños Eldredge perdidos acaba de tomar un nuevo sesgo —dijo Phillips, y su voz palpitaba con una excitación poco profesional—. Un mecánico, Otto Linden, de "Gluf Station", en la carretera 28, en Hyannis, acaba de telefonearnos para decir que puede afirmar con seguridad que esta mañana a las nueve llenó el depósito de gasolina de Rob Legler, el desaparecido testigo del caso Harmon, el asesinato ocurrido hace siete años. El señor Linden dijo que Legler parecía nervioso y espontáneamente dio la información de que se dirigía a Adams Port para visitar a alguien que probablemente se alegraría de verle. Conducía un Dodge Dart rojo último modelo.»

Jed Coffin lanzó un juramento en voz baja.

—Y estoy aquí perdiendo el tiempo escuchando esta charla. —Se dirigió al teléfono y lo levantó en el momento en que sonaba. Después de que el comunicante se hubo identificado, dijo con impaciencia—: Lo oí. Está bien. Quiero que se bloqueen las carreteras en los puentes que conducen al continente. Compruebe en el archivo de desertores de la FBI... Averigüe qué pueden saber sobre las últimas andanzas de Rob Legler. Publique una nota sobre un Dodge rojo. —Colgó el teléfono con un golpe y se volvió hacia Lendon—. Ahora tengo una pregunta simple, directa, para que se la haga usted a la señora Eldredge. Se trata de si Rob Legler estuvo aquí esta mañana..., y qué le dijo.

Lendon le miró asombrado.

—Quiere decir...

—Quiero decir que Rob Legler es la persona que podría volver a colocar a Nancy Eldredge en medio de un proceso de asesinato. El caso Harmon nunca se cerró. Supongo que Legler ha estado oculto en Canadá durante seis años. Ahora necesita dinero. ¿No se reveló en el proceso Harmon que Nancy había heredado de sus padres una buena cantidad de dinero...? Unos ciento cincuenta mil dólares. Bueno, suponga que Rob Legler sabe de este dinero y de alguna manera descubre dónde está Nancy. En la oficina del fiscal del distrito de San Francisco saben dónde está ella. Bueno, suponga que Legler decide que está harto del Canadá y quiere volver aquí y necesita hacerse con dinero. ¿No es posible que se presente a Nancy Eldredge y le prometa que cambiará su declaración en caso de ser atrapado y de que haya un nuevo proceso? Es lo mismo que obligarla a firmar un cheque en blanco por el resto de su vida. Llega aquí, la ve. El trato no resulta. Ella no lo acepta..., o él cambia de idea. Ella sabe que en cualquier momento Rob puede ser atrapado, o puede entregarse, y ella volverá a San Francisco bajo acusación de asesinato, y se derrumba...

—¿Y asesina a sus hijos Eldredge? —La voz de Lendon era burlona—. ¿Ha pensado usted en la posibilidad de que ese estudiante que casi llevó a Nancy a la cámara de gas estuviese en las cercanías cuando ambas parejas de niños desaparecieron? Deme usted una oportunidad más —suplicó Lendon—. Sólo déjeme interrogarla sobre el día en que desaparecieron los niños Harmon. Quiero que ella describa primero los sucesos de aquel día.

—Tiene usted treinta minutos..., no más.

Dorothy empezó a verter café en las tazas que ya había colocado en una bandeja. Rápidamente, cortó un pastel que Nancy había hecho la víspera.

—Quizá el café nos ayudará a todos nosotros —dijo.

Llevó la bandeja a la sala de enfrente. Ray estaba sentado en la silla que Lendon había colocado junto al diván. Sostenía las manos de Nancy entre las suyas, frotándolas suavemente. Permanecía muy quieta. Su respiración era regular, pero cuando los otros entraron en la sala se agitó y gimió.

Jonathan estaba de pie junto a la chimenea, mirando el fuego. Había encendido su pipa y el aroma tibio del buen tabaco empezó a esparcirse por la estancia. Dorothy lo aspiró profundamente mientras dejaba la bandeja en la redonda mesa de pino junto a la chimenea. Una ola de pura nostalgia la invadió. Kenneth fumaba en pipa y ésta era su marca de tabaco. A ella y a Kenneth les gustaban las tardes de invierno tormentosas como ésta. Encendían un gran fuego, traían vino, queso y libros, y se sentaban juntos, satisfechos. El pesar se abatió sobre ella. Pesar porque no puede uno realmente controlar su vida. La mayor parte del tiempo no se acciona, se reacciona.

—¿Tomará usted café y pastel? —preguntó a Jonathan.

Él la miró pensativo.

—Por favor.

Ella ya sabía que lo tomaba con crema y un terrón de azúcar. Sin preguntar, preparó así el café y se lo entregó.

—¿No debería usted quitarse el abrigo? —le preguntó él.

—Dentro de un rato. Tengo frío todavía.

El doctor Miles y el jefe Coffin la habían seguido y se servían café. Dorothy llenó otra taza y la llevó al diván.

—Ray, haga el favor de tomar algo de café.

Ray levantó la mirada.

—Gracias. —Mientras alargaba la mano para tomarlo, murmuró a Nancy—: Todo saldrá bien, niña.

Nancy se estremeció violentamente. Sus ojos se abrieron, levantó el brazo y tiró la taza de la mano de Ray; la taza cayó y se estrelló contra el suelo, derramando el líquido caliente sobre su bata y la manta, y salpicó a Ray y a Dorothy, quienes simultáneamente dieron un respingo, mientras gritaba en el tono desesperado de un animal atrapado:

—¡No soy tu niña! ¡No me llames tu niña!

17

Courtney Parrish, suspirando pesadamente, volvió la espalda a la pequeña figura que yacía inmóvil en la cama. Había quitado el esparadrapo de la boca de Missy y los cordeles de sus muñecas y tobillos, y los cordeles y esparadrapo estaban ahora revueltos y amontonados sobre la colcha. El fino y sedoso pelo de la niña aparecía enmarañado. Había tenido la intención de cepillarlo cuando la bañase, pero ahora esto no tenía objeto; necesitaba que ella lo sintiera.

El niño, Michael, estaba todavía en el suelo del armario. Sus grandes ojos azules seguían aterrorizados cuando Courtney le levantó y le abrazó contra su pecho macizo.

Dejó a Michael sobre la cama, soltó las ataduras de sus tobillos y sus muñecas y, con un tirón rápido, arrancó el esparadrapo de su boca. El niño gritó de dolor y luego se mordió el labio. Parecía reaccionar más: infinitamente cauto, receloso, pero con algo del valor del animal acorralado.

—¿Qué le hizo usted a mi hermana?

El tono beligerante hizo que Courtney comprendiera que el muchacho no se había tomado toda la leche con el sedante que le había dado un momento antes de que llegaran aquellos imbéciles enredones.

—Está dormida.

—Déjenos ir a casa. Queremos irnos a casa. Usted no me gusta. Le dije a mi papá que usted no me gustaba, y tía Dorothy estuvo aquí y usted nos escondió.

Courtney levantó su mano derecha, juntó los dedos y dio una bofetada a Michael. Éste dio un brinco de dolor y luego, rodando, se alejó de la garra del hombre. Courtney alargó el brazo para alcanzarle, perdió el equilibrio y cayó desmañadamente sobre la cama. Su boca tocó el cabello desgreñado de Missy y por un instante se distrajo. Se levantó, se volvió y, de pie, se agachó para saltar hacia Michael. Pero éste retrocedió hacia la puerta del dormitorio. Con un movimiento rápido, la abrió y atravesó corriendo la sala contigua.

Courtney corrió tras él, recordando que no había cerrado con llave la puerta del apartamento. No quería que Dorothy, al bajar, oyese el ruido del cerrojo.

Michael abrió la puerta y corrió hacia la escalera. Sus zapatos repiquetearon por los escalones sin alfombra. Se movía rápidamente, delgada sombra sumergiéndose en la protectora penumbra del tercer piso. Courtney corrió tras él, pero, en su frenético impulso, perdió el equilibrio y cayó. Rodó sobre seis escalones antes de lograr detener la caída agarrándose a la gruesa baranda de madera. Sacudiendo la cabeza para aclarársela, se levantó sintiendo un agudo dolor en el tobillo derecho. Tenía que asegurarse de que la puerta de la cocina estaba cerrada.

Ya no se oía ruido de pasos. El niño estaba probablemente escondido en uno de los dormitorios del tercer piso, pero había tiempo de sobra para buscarle. Primero, la puerta de la cocina. Las ventanas no eran ningún problema; todas tenían doble cerrojo y, de todas maneras, eran demasiado pesadas. El doble cerrojo de la puerta principal estaba demasiado alto para que el niño lo alcanzara. Sólo debía asegurar la puerta de la cocina y, después, buscar al niño..., habitación tras habitación. Le llamaría y le advertiría. El muchacho estaba muy asustado. En sus ojos había terror y prevención. Así se parecía más que nunca a Nancy. ¡Oh, esto era tan inesperadamente maravilloso! Pero debía apresurarse. Tenía que asegurarse de que el niño no pudiese salir de la casa.

—Volveré enseguida, Michael —gritó—. Te encontraré, Michael. Eres un niño muy malo. Debes ser castigado, Michael. ¿Me oyes, Michael?

Creyó oír un ruido en el dormitorio de la derecha y se precipitó hacia él, cuidando de su tobillo. Pero la habitación estaba vacía. ¿Y si el niño hubiese corrido por este pasillo y bajado por la escalera principal? Súbitamente, lleno de pánico, bajó cojeando los dos tramos de escalera que faltaban. Podía oír afuera las olas de la bahía estrellándose contra las rocas. Se precipitó a la cocina y la puerta.

Era la puerta que usaba siempre para entrar y salir de la casa. No solamente tenía un cerrojo doble, sino un sólido pasador. Respiraba con un rápido y furioso jadeo. Con sus gruesos dedos temblorosos, corrió el pasador. Luego trajo una pesada silla de madera de la cocina y la atascó bajo el pestillo. El niño nunca sería capaz de moverla. No había otra salida en la casa.

La fuerte tormenta casi había apagado el resto de luz de día. Courtney encendió la lámpara del techo, pero un instante después ésta parpadeó y se apagó. Comprendió que la tempestad probablemente había roto algunos cables. Esto haría más difícil encontrar al niño. Todos los dormitorios de arriba estaban completamente amueblados, todos tenían armarios — profundos armarios— y alacenas donde podía esconderse. Courtney se mordió el labio con furia mientras cogía la linterna que estaba sobre la mesa, frotaba una cerilla y encendía la mecha. El cristal era rojo y la luz arrojó un fantástico resplandor sobre la pared de la chimenea, el descolorido suelo de madera y el techo de gruesas vigas. El viento aulló contra los postigos mientras Courtney gritaba:

—Michael... Está bien, Michael. Ya no estoy enfadado. Sal, Michael. Te llevaré a casa con tu madre.

18

La oportunidad de hacer un chantaje a Nancy Harmon era lo que Rob Legler necesitaba desde hacía seis años, desde el día en que tomó un avión hacia Canadá después del cuidado de romper en pedacitos la orden de embarque para Vietnam. Durante aquellos años trabajó como jornalero en una granja cerca de Halifax. Fue el único empleo que pudo obtener, y lo odiaba. Ni por un instante lamentó su decisión de desertar del ejército. ¿Quién diablos querría irse a un agujero ardiente y hediondo para hacerse matar por una pandilla de enanos hijos de perra? Él no.

Trabajó en la granja de Canadá porque no tenía otra alternativa. Salió de San Francisco con dieciséis dólares en el bolsillo. Si volvía a su país, le meterían en la cárcel. Una condena por deserción no era su idea del modo de pasar el resto de su vida. Necesitaba una buena cantidad para poder marcharse a algún lugar, quizá a Argentina. No era uno de los millares de desertores que eventualmente pueden introducirse de nuevo en Estados Unidos con identificación falsa. Gracias al maldito caso Harmon, era un hombre buscado.

Si al menos aquella acusación no hubiese sido sobreseída..., el caso habría terminado. Pero ese bastardo de fiscal había dicho que, aunque pasaran veinte años, volvería a procesar a Nancy Harmon por el asesinato de aquellos niños. Y Rob era el testigo, el testigo que proporcionaba el motivo.

Rob no podía dejar que se representara de nuevo aquella escena. El fiscal, la última vez, dijo al jurado que probablemente en el asesinato había algo más que el deseo de Nancy Harmon de salir de una situación doméstica.

«Probablemente estaba enamorada —dijo—. Tenemos aquí a una joven muy atractiva que desde la edad de dieciocho años ha estado casada con un hombre de más edad. Su vida podría muy bien causar la envidia de más de una joven. La devoción del profesor Harmon para su esposa y su familia era un ejemplo para la comunidad. Pero, ¿está satisfecha Nancy Harmon? No. Cuando se presenta un estudiante enviado por su marido para hacer una reparación a fin de que ella no tenga que soportar ni siquiera unas horas de incomodidad, ¿qué hace ella? Sigue al estudiante por la casa, insiste en que tome café, dice que es agradable hablar con alguien joven..., dice que tiene que escapar..., responde apasionadamente a sus requerimientos..., y luego, cuando él le dice que "criar a niños no es su inclinación", ella le promete, con calma, que sus hijos serán suprimidos.

»Ahora bien, señoras y señores del jurado, yo desprecio a Rob Legler. Creo que jugó con esta joven alocada. No creo ni por un momento que su terrible pasión terminara con algunos besos..., pero le creo cuando cita las frases condenatorias que salieron de los labios de Nancy Harmon.»

Maldito sea. Rob sentía que su estómago enfermaba de miedo cada vez que recordaba aquel discurso. Aquel hijo de perra hubiera dado cualquier cosa para complicarle en el asesinato. Todo porque se encontraba en el despacho de Harmon el día en que la esposa de éste le telefoneó para decirle que la calefacción no funcionaba. Rob no se sentía habitualmente inclinado a ofrecer sus servicios. Pero nunca había visto una máquina o un motor o un aparato que no pudiese arreglar, y había oído a algunos muchachos hablar de la muñeca que tenía por esposa aquel viejo chocho.

Esa información intrigante le impulsó a ofrecer sus servicios. Primero Harmon los rechazó, pero luego, cuando no pudo encontrar al operario que le servía regularmente, accedió. Dijo que no quería que su esposa llevase a los niños a un motel, que era lo que ella había sugerido.

Así, Rob se presentó. Todo lo que los muchachos habían dicho de Nancy Harmon era verdad. Una verdadera maravilla. Pero ella, por cierto, no parecía saberlo; estaba indecisa..., insegura de sí misma. Él llegó hacia mediodía, cuando ella estaba dando de comer a los dos pequeños..., un niño y una niña. Unos niños tranquilos, ambos. Ella no le prestó mucha atención, sólo le dio las gracias por venir y volvió a ocuparse de los pequeños.

Él comprendió que la única manera de llamarle la atención sería a través de los niños, y empezó a hablarles. A Rob siempre le era fácil poner en práctica su hechizo. Además, le gustaban las chicas mayores que él. No es que ésta fuese mucho mayor. Pero desde que tenía dieciséis años e iba detrás de la esposa del vecino de al lado, sabía que, si uno es amable con los niños de una mujer, ésta piensa que eres estupendo y todo su sentimiento de culpabilidad se va a la alcantarilla. ¡Caramba!, Rob podría escribir un libro sobre la racionalización del complejo maternal.

En un par de minutos tuvo a los niños riendo, y a Nancy también, y entonces invitó al niño a bajar para hacerle de ayudante en el arreglo de la caldera. Tal como esperaba, la niña quiso ir también, y entonces Nancy dijo que ella iría para vigilar que los niños no estorbaran. No era grave, la avería de la caldera —solamente un filtro obturado—, pero dijo que ésta necesitaba una pieza y que, aunque podía lograr que funcionara de momento, volvería para terminar dignamente el trabajo.

Salió pronto el primer día. No tenía objeto trastornar al viejo Harmon. Fue directamente a su despacho. Harmon parecía molesto y preocupado cuando él abrió la puerta, pero cuando vio a Rob le dirigió una ancha sonrisa de alivio.

—¿Tan pronto? Es usted el rayo. ¿O es que no pudo arreglarla?

—La hice funcionar —dijo Rob—, pero necesita usted una pieza nueva, señor, que con gusto le conseguiré. Es una de esas pequeñas cosas que, si llama usted a un servicio regular, convierten en una gran hazaña. Puedo obtener la pieza por un par de dólares. Lo haré con gusto.

Harmon, claro está, cayó en la trampa, probablemente contento de poder ahorrarse dinero. Y Rob volvió a la casa al día siguiente y al otro. Harmon le advirtió que su esposa era muy nerviosa y descansaba mucho, y que, por favor, no la molestara. Pero Rob no vio que estuviese nerviosa. Tímida, quizá, y asustada. La hizo hablar. Ella le manifestó que había sufrido una depresión nerviosa después de la muerte de su madre.

—Creo que estaba terriblemente deprimida —le dijo—. Pero ahora estoy segura de ir mejorando. Incluso he dejado casi de tomar mi medicina. Mi marido no lo sabe. Probablemente se inquietaría. Pero me siento mejor sin ella.

Rob le expuso lo bonita que era, como un modo de tantear el terreno. Empezó a sospechar que podría ser una presa fácil. Era evidente que estaba muy aburrida con el viejo Harmon y se mostraba inquieta. Rob le dijo que quizá debería salir más. Ella contestó:

—Mi marido no gusta de frecuentar a la gente. Siente que al final del día no necesita ya ver a más gente... Después de todos los estudiantes con los que tiene que habérselas.

Entonces fue cuando Rob supo que intentaría el ataque.

Rob tenía una sólida coartada para aquella mañana en que los niños Harmon desaparecieron: había estado en una clase de sólo seis alumnos. Pero el fiscal dijo que, si podía encontrar la más pequeña prueba, esto le ayudaría a colgar a Rob una acusación accesoria, y que hacerlo sería para él una satisfacción. Rob había contratado a un abogado. Muy asustado, no quería que el fiscal hurgase en sus antecedentes y descubriese algo sobre la ocasión en que fue nombrado en un proceso de paternidad en Cooperstown. El abogado le dijo que su postura debía ser la de un respetuoso alumno, de un profesor distinguido, que había deseado prestar un servicio a éste; que había tratado de mantenerse alejado de la esposa, pero ésta había insistido en seguirle por todas partes. Que nunca tomó en serio las palabras de Nancy cuando habló de que los niños serían suprimidos. En realidad, había creído que, simplemente, estaba nerviosa y enferma, tal como el profesor le había advertido.

Pero ante el tribunal la cosa no funcionó así: «¿Se sintió usted atraído por esta joven?», le preguntó suavemente el fiscal.

Rob miró a Nancy sentada a la mesa del defensor, junto a su abogado, dirigiéndole una mirada inexpresiva, como si no la viese.

«No pensé en estos términos, señor —contestó Rob—. Para mí, la señora Harmon era la esposa de un profesor a quien admiraba mucho; simplemente quería arreglar la caldera, como había ofrecido hacer, y regresar a mi habitación. Tenía que escribir un trabajo y, de todas maneras, una mujer enferma con dos niños, simplemente, no es mi tipo.»

Fue sobre esta declaración, esta última maldita frase, sobre la que se lanzó el fiscal. Cuando terminó con él, Rob estaba empapado de sudor.

Sí, había oído decir que la esposa del profesor era una muñeca... No, no se sentía inclinado a ofrecer sus servicios... Sí, había tenido la curiosidad de verla... Sí, se le había insinuado...

«¡Pero todo acabó aquí! —gritó Rob desde el banquillo—. Con dos mil condiscípulas en la universidad, no necesitaba buscarme problemas.»

Después reconoció que había dicho a Nancy que, si ella le daba ocasión, le gustaría atropellarla.

El fiscal le miró con desprecio. Después leyó en el informe las circunstancias en que Rob había sido apaleado por un marido furibundo..., el episodio de Cooperstown, cuando fue nombrado en el proceso sobre paternidad.

El fiscal dijo:

«Este tenorio no era voluntariamente servicial. Entró en aquella casa para observar a una joven hermosa de quien había oído hablar. Se le insinuó. El éxito superó sus sueños más locos. Señoras y señores del jurado, no sugiero que Rob Legler tuviese participación en el plan de asesinar a los niños de Nancy Harmon. Por lo menos en el sentido legal, no la tuvo. Pero estoy convencido de que moralmente, ante Dios, es culpable. Hizo saber a esa joven boba e ingrata (empleo sus propias palabras) que la "atropellaría" si fuese libre, y ella eligió una libertad que repugna a los instintos básicos de la Humanidad. Asesinó a sus hijos para librarse de ellos.»

Después de que Nancy Harmon fuera condenada a morir en la cámara de gas, el profesor Harmon se suicidó. Llevó su coche a la misma playa donde había sido encontrado uno de los niños y lo dejó junto a la orilla del mar. Clavó en el volante una nota en la que decía que todo era culpa suya.

Debía haber comprendido lo enferma que estaba su esposa. Debía haberle quitado a los niños. Él era responsable de sus muertes y del acto de Nancy. «Intenté hacer de Dios —escribió—. La amaba tanto, que pensé poder curarla. Pensé que criando a los hijos alejaría de su mente el dolor por la muerte de su madre. Pensé que el amor y el cuidado la curarían, pero me equivoqué; me entrometí en lo que estaba fuera de mi alcance. Perdóname, Nancy.»

No hubo ninguna aclamación aprobatoria cuando se retiró la acusación. Sucedió porque se había oído a dos mujeres del jurado discutiendo el caso en un bar, a la mitad del proceso, y diciendo que Nancy era tan culpable como el pecado. Pero, cuando se ordenó un nuevo proceso, Rob se había ya graduado, había sido movilizado, había recibido la orden de ir a Vietnam y se había fugado. Sin él, no había caso para el fiscal, por lo que tuvo que soltar a Nancy..., pero juró que volvería a procesarla el día en que pudiese echar mano a Rob.

Durante los años pasados en Canadá, Rob pensó a menudo en aquel proceso. Algo le inquietaba, de todo aquel espectáculo. Mirándolo en perspectiva, no consideraba a Nancy Harmon como una asesina. Ella, en el tribunal, había sido como una paloma de yeso. Harmon, ciertamente, no la había ayudado derrumbándose sobre la tarima cuando se suponía que estaba diciendo lo buena madre que era ella.

En Canadá, Rob era algo así como una celebridad entre los desertores con los que se juntaba y a los que había hablado del caso. Ellos preguntaban sobre Nancy, y Rob les decía qué buen bocado era... insinuando que hubo algo de acción. Les mostró los recortes de periódicos referentes al proceso y las fotografías de Nancy.

Les dijo que Nancy debía de tener algún dinero... que se había revelado en el proceso que sus padres le habían dejado más de ciento cincuenta mil dólares; que si pudiese encontrarla la apremiaría para que le diese dinero para irse a Argentina.

Luego llegó la ocasión. Uno de sus camaradas, Jim Ellis, que estaba enterado de su relación con el caso Harmon, se introdujo en el país para visitar a su madre, enferma de cáncer. La madre vivía en Boston, pero, como el FBI vigilaba la casa con la esperanza de atrapar a Jim, se encontró con él en Cabo Cod, en una cabaña que había alquilado junto al lago Maushop. Cuando Jim volvió a Canadá, rebosaba de noticias. Preguntó a Rob cuánto daría por saber dónde podría encontrar a Nancy Harmon.

Rob fue escéptico hasta que vio la fotografía de Nancy que Jim había logrado sacarle en la playa. Era inconfundible. Jim había hecho alguna investigación, además. Comprobó los antecedentes. Supo que el esposo de Nancy era un hombre muy próspero. Rápidamente, establecieron un trato. Rob iría a ver a Nancy. Le diría que, si le daba cinco mil dólares, se iría a Argentina y ella nunca más tendría que preocuparse por si él actuaba o no de testigo contra ella. Rob consideró que ella aceptaría, especialmente ahora, cuando estaba casada de nuevo y tenía otros hijos. Era un precio barato para asegurarse de que no sería llevada algún día a California para ser juzgada.

Jim quería el veinte por ciento de participación. Mientras Rob veía a Nancy, Jim arreglaría la obtención del pasaporte y la identificación canadiense falsos y reservaría pasaje para Argentina. Pagando, era posible obtenerlos.

Trazaron sus planes con cuidado. Rob logró alquilar un coche a un muchacho norteamericano que estaba en una escuela en Canadá. Se afeitó la barba y se cortó el pelo antes de hacer el viaje. Jim le advirtió que, en cuanto uno tenía aspecto de *hippie,* todo maldito polizonte, en esas poblaciones de Nueva Inglaterra, estaba dispuesto a atraparle con radar.

Rob decidió hacer el trayecto directo desde Halifax. Cuanto menos tiempo pasara en Estados Unidos, menos probabilidades tendría de ser atrapado. Calculó su llegada al Cabo a primeras horas de la mañana. Jim había descubierto que el marido de Nancy abría siempre su oficina hacia las nueve y media. Él llegaría a su casa hacia las diez. Jim le había hecho un plano de la calle, incluyendo el camino a través del bosque (en él podría ocultar su coche).

Andaba escaso de gasolina cuando llegó al Cabo. Esto fue el motivo de que se detuviera en Hyannis para aprovisionarse. Jim le había dicho que incluso fuera de temporada había allí muchos turistas. Sería menos probable hacerse notar. Durante todo el camino estuvo nervioso, tratando de decidir si debía ofrecer el trato a Nancy y a su marido juntos. Probablemente él se enteraría de que ella había sacado un montón de dinero en efectivo.

Pero, ¿y si ese tipo llamaba a los polizontes? Rob sería acusado de deserción y de chantaje. No, era mejor hablar directamente a Nancy, quien debía de recordar todavía lo de cuando estaba sentada en la mesa del defensor.

El que le atendió en la estación de gasolina fue servicial. Revisó todo, limpió los cristales y puso aire en los neumáticos, sin que se lo pidiera. En esto Rob anduvo descuidado. Cuando estaba pagando la cuenta, el hombre le preguntó si iba a pescar. Entonces habló demasiado; dijo que en realidad iba a cazar... que se dirigía a Adams Port para ver a una vieja amiga que quizá no se alegraría de verlo. Luego, maldiciendo su charlatanería, escapó y se detuvo en un restaurante cercano para desayunar.

Entró en Adams Port a las diez menos cuarto. Dando vueltas lentamente, estudiando el plano que Jim le había dibujado, se formó una idea de la situación. Aun así, casi dejó atrás el camino de tierra que conducía al bosque detrás de la propiedad. Se dio cuenta de ello después de haber frenado porque salía de él aquella vieja furgoneta Ford. Retrocedió y entró en el camino, aparcó el coche y empezó a andar hacia la puerta trasera de la casa de Nancy. Fue entonces cuando ella salió corriendo como una loca, chillando aquellos nombres: Peter y Lisa, los de los niños muertos. La siguió a través del bosque hasta el lago y la vio echarse al agua. Estaba a punto de ir tras ella, cuando Nancy se arrastró fuera del agua y cayó en la playa. Supo que ella miraba en su dirección. No estaba seguro de si lo veía, pero sí supo que tenía que marcharse de allí. No comprendía lo que pasaba, pero no quiso inmiscuirse.

De regreso en el coche, se calmó. Quizá Nancy estaba borracha. Si todavía chillaba llamando a los niños muertos, era probable que reaccionase ante la oportunidad de no tener que preocuparse por un nuevo proceso. Decidió alojarse en algún motel de Adams Port y tratar otra vez de verla al día siguiente.

En el motel, Rob se fue rápidamente a la cama y se quedó dormido. Despertó a última hora de la tarde y encendió el aparato de televisión para ver las noticias. La pantalla se iluminó a tiempo para que viese una fotografía de sí mismo y oyese una voz que le describía como el testigo desaparecido del caso Harmon de asesinato. Atontado, Rob oyó que el locutor recapitulaba la desaparición de los niños Eldredge. Por primera vez en su vida se sintió acorralado. Ahora que se había afeitado la barba y cortado el pelo, se veía exactamente igual que en la fotografía.

Si Nancy Eldredge realmente había matado a su nueva familia, ¿quién podría creer que él no tuviese algo que ver en ello? Debió de haber sucedido justo cuando él llegó allá. Rob pensó en la vieja furgoneta Ford que había salido del camino de tierra un instante antes de que él entrara. Matrícula de Massachusetts, cuyos primeros dos números eran 8, 6... Un tipo corpulento al volante.

Pero no podría hablar de esto ni siquiera si fuese atrapado. No podría confesar haber estado aquella mañana en la casa de Eldredge. ¿Quién le creería si decía la verdad? El instinto de conservación de Rob Legler le dijo que se fuera del Cabo Cob, y era seguro que no podía irse en un Dodge de un rojo brillante que toda la policía estaba buscando.

Tomó su maleta y se deslizó por la puerta trasera del motel. Un Volks estaba aparcado en el patio al lado del Dodge. Por la ventana había visto a la pareja que lo dejaba. Entró en el motel justo antes de que él encendiera la televisión. Probablemente, si él era un buen conocedor de estas cosas, estarían allí un par de horas. No había nadie más fuera, afrontando la cellisca.

Rob levantó la tapa del motor del Volks, conectó unos cables y se fue conduciendo el vehículo. Iría por la ruta 6 A, que se dirigía al puente. Con suerte, en media hora estaría fuera del Cabo.

Seis minutos más tarde pasó sin pararse ante un semáforo rojo. Treinta segundos después de esto, miró al espejo y vio reflejada en él una luz roja oscilante. Le perseguía un coche de la policía. Por un instante pensó en rendirse; luego, la agobiadora necesidad de huir de los problemas le dominó. Mientras doblaba una curva, Rob abrió la puerta, apretó el acelerador con su maleta y saltó afuera. Estaba desapareciendo dentro de la zona boscosa, detrás de las soberbias casas coloniales, cuando el coche de la policía, ahora con su sirena aullando, pasó persiguiendo al Volkswagen que bajaba locamente dando bandazos por la carretera en pendiente.

19

Cuando Michael empezó a correr escalera abajo, estaba seguro de que el señor Parrish le atraparía. Pero luego oyó el terrible estruendo que significaba que el señor Parrish había caído por la escalera. Michael comprendió que, si quería escapar del señor Parrish, no debía hacer ningún ruido. Recordó la ocasión en que mamá había hecho retirar la alfombra de la escalera de su casa. «Ahora, niños —les dijo—, tendréis que aprender un juego nuevo. Se llama "el paso civilizado".» Michael y Missy habían convertido en un juego el acto de bajar la escalera por un lado, junto a la baranda, de puntillas. Llegaron a hacerlo tan bien, que se deslizaban silenciosamente y se asustaban el uno al otro. Ahora, andando suavemente de la misma manera, Michael se deslizó sin ruido hasta el primer piso. Oyó al señor Parrish llamándole y diciendo que le encontraría.

Supo que debía salir de aquella casa. Tendría

que correr por la carretera serpenteante hasta la otra carretera larga que llevaba a la tienda de Wiggins. Michael no había decidido si entraría en la tienda o si atravesaría corriendo la ruta 6 A y subiría por la carretera que llevaba a su casa. Tenía que encontrar a papá y traerlo aquí a buscar a Missy.

Ayer, en la tienda de Wiggins, había dicho a papá que no le gustaba el señor Parrish. Ahora le tenía miedo, Michael sentía un miedo asfixiante mientras corría por la casa oscura. El señor Parrish era un hombre malo. Por eso los había amarrado y luego escondido en el armario. Por eso Missy estaba tan asustada que no podía despertar. Michael trató de tocar a Missy dentro del armario, porque sabía que estaba asustada, pero no pudo soltarse las manos. Desde dentro del armario pudo oír la voz de tía Dorothy; pero ésta no preguntó por ellos. Estaba allí mismo y no adivinaba que ellos estaban allí. Sentía mucho enojo porque tía Dorothy no había comprendido que la necesitaban; debía haberlo adivinado.

Había oscurecido tanto, que era difícil ver. Al pie de la escalera, Michael miró alrededor, confuso; luego echó a correr hacia la parte posterior de la casa. Estaba ya en la cocina. La puerta que daba afuera estaba allí. Corrió hacia ella y asió el pestillo. Estaba a punto de darle vuelta cuando oyó los pasos que se acercaban. El señor Parrish. Sus rodillas temblaron. Si la puerta no se abría, el señor Parrish le agarraría. Rápidamente, sin ruido, Michael corrió hacia la otra puerta de la cocina, atravesó el pequeño vestíbulo y entró en la salita de atrás. Oyó que el señor Parrish corría el cerrojo de la puerta de la cocina. Le oyó arrastrar la silla. Se encendió la luz de la cocina y Michael se encogió detrás del diván con cojines. Agachándose sigilosamente, encajó justo en el espacio entre el diván y la pared. El polvo le cosquilleó la nariz; tenía ganas de estornudar. Las luces de la cocina y del pasillo se apagaron de súbito y la casa quedó en tinieblas. Oyó que el señor Parrish andaba por allí y rascaba una cerilla.

Un momento después vio un resplandor rojizo en la cocina y oyó al señor Parrish gritar:

—Está bien, Michael. Ya no estoy enojado. Sal, Michael. Te llevaré a casa con tu madre.

20

John Kragopoulos había pensado ir directamente a Nueva York después de dejar a Dorothy, pero una vaga sensación de depresión acompañada de un dolor de cabeza concentrado sobre la nariz hizo que le pareciera de pronto insoportable el viaje de cinco horas. El tiempo era espantoso, evidentemente, y la intensa aflicción que sufría Dorothy no podía por menos de serle transmitida. Le había mostrado la fotografía que llevaba en la cartera, y la idea de aquellos hermosos niños víctimas de una mala jugada le dejó una sensación de mareo en el estómago.

Pero qué increíble idea, musitó. Había aún la posibilidad de que los niños, simplemente, estuviesen deambulando. ¿Cómo podría nadie dañar a un niño? John pensó en sus hijos gemelos de veintiocho años: uno, piloto de la Fuerza Aérea, el otro, arquitecto. Magníficos jóvenes ambos. Motivo de orgullo para un padre. Mucho después de que él y la madre se hubiesen ido, vivirían aún. Eran una parte de su inmortalidad. Supongamos que cuando eran pequeños los hubiese perdido...

Corría por la ruta 6 A en dirección al continente. Enfrente, hacia la derecha, había un atractivo restaurante apartado de la carretera. El letrero iluminado, The Stageway, era un faro de bienvenida en la penumbra de la tarde. Instintivamente, John giró y entró en el espacio de aparcamiento. Se dio cuenta de que eran cerca de las tres y de que, en todo el día sólo había tomado exactamente una taza de café y una rebanada de pan tostado. El mal tiempo le había hecho conducir tan lentamente desde Nueva York, que se vio obligado a prescindir de la comida.

Razonó que sería de sentido común tomar una comida decente antes de intentar el viaje. Y era tener un buen sentido de los negocios tratar de entablar conversación con el personal de un gran restaurante situado precisamente en la vecindad del lugar que tenía en consideración. Quizá podría obtener así información útil sobre el negocio probable en aquella zona.

Aprobando subconscientemente el interior rústico del restaurante, fue directamente al bar. No había allí ningún cliente, pero esto no era inusitado antes de las cinco en una población como aquélla. Pidió un Chivas Regal *on the rocks;* luego, cuando el camarero se lo trajo, le preguntó si sería posible que le sirviesen algo de comer.

—No hay ningún problema.

El hombre tenía unos cuarenta años, pelo oscuro con patillas exageradas. A John le gustó tanto su amable respuesta como la manera como tenía el bar inmaculadamente limpio. Le fue presentado un menú.

—Si desea usted comer bistec, el solomillo especial es estupendo —aconsejó el camarero—. Técnicamente, la cocina está cerrada entre las dos y media y las cinco, pero si no le importa a usted comer aquí mismo...

—Me parece perfecto.

Rápidamente, John pidió el bistec poco hecho y una ensalada. El Chivas le calentó el cuerpo y parte de su depresión empezó a desvanecerse.

—Sirve usted una buena bebida —dijo.

El hombre sonrió.

—Se necesita verdadero talento para preparar un *scotch* con hielo —dijo.

—Yo soy del ramo. Ya sabe usted qué quiero decir. —John decidió ser franco—. Estoy pensando en comprar la finca que llaman El Mirador para establecer allí un restaurante. ¿Qué opina usted?

El otro hombre asintió enfáticamente.

—Podría resultar. Un restaurante de verdadera clase, quiero decir. Aquí vamos bien, pero tenemos gente de medio pelo. Familias con niños. Viejas señoras que viven de pensiones. Turistas que van a la playa o a las tiendas de antigüedades. Estamos situados exactamente en la principal vía de tránsito. Pero un lugar como El Mirador, con vistas sobre la bahía... Buena atmósfera, buena bebida, buen menú... Podría cobrar caro y hacer dinero.

—Esto es lo que pienso.

—Naturalmente, si yo fuese usted me libraría de ese viejo del piso de arriba.

—Me intrigó. Parece algo raro.

—Bueno, se supone que viene todos los años por esta época para pescar. Lo sé porque Ray Eldredge lo mencionó por casualidad. Buen tipo, Ray Eldredge. Es el hombre al que se le han perdido los niños.

—Oí hablar de esto.

—¡Qué vergüenza! Unos simpáticos niñitos. Ray y la señora Eldredge los traen aquí de cuando en cuando. De buen ver, la esposa de Ray. Pero, como le decía, yo no soy de aquí. Dejé un bar en Nueva York; hace diez años, después de que por tercera vez fui asaltado al regresar a casa tarde. Pero siempre he estado loco por la pesca. Por eso terminé aquí. Y un día, hace sólo pocas semanas, ese tipo grandote entra y pide una bebida. Sé quién es, le he visto aquí. Es el inquilino de El Mirador. Bueno, yo trato de que todo el mundo se sienta cómodo, se desahogue, entable conversación. Le pregunto si estaba aquí en septiembre, cuando abundaban los azules. ¿Sabe usted qué dijo ese necio?

John esperó.

—Nada. En blanco. Cero. No entendió. —El hombre se puso las manos en las caderas—. ¿Cree usted que alguien puede venir a pescar en el Cabo durante siete años y no saber lo que yo quería decir?

Llegó el bistec. Contento, John empezó a comer. Era delicioso. Cuando el sabor de la excelente carne se combinó con el cálido resplandor de la bebida, se relajó perceptiblemente y empezó a pensar en El Mirador.

Lo que le había dicho el camarero le confirmó

en su decisión de hacer una oferta para comprar la finca.

Le gustó recorrer la casa. La sensación de incomodidad que había experimentado empezó solamente en el último piso. Era eso. Se había sentido inquieto en el apartamento del inquilino, el señor Parrish.

John terminó el bistec y pagó la cuenta pensativo y algo abstraído, mas no se olvidó de dar una generosa propina. Se levantó el cuello, salió del restaurante y se dirigió a su coche. ¿Daría ahora la vuelta a la derecha y seguiría hacia el continente? Durante unos minutos permaneció sentado, irresoluto, en el coche. ¿Qué le pasaba? Obraba como un necio. ¿Qué loco impulso le forzaba a volver a El Mirador?

Courtney Parrish estuvo nervioso. John había estado demasiados años ocupado en apreciar a la gente para no reconocer la tensión nerviosa cuando la veía. Aquel hombre estuvo preocupado..., esperando ansiosamente que ellos se marcharan. ¿Por qué? Tenía un olor sudoroso, pesado, agrio..., el olor del miedo... Pero ¿miedo de qué? Y aquel catalejo. Parrish se precipitó a cambiar la dirección en que estaba enfocado cuando John se inclinó sobre el instrumento. John recordaba que, cuando volvió a colocarlo aproximadamente en la posición en que estaba antes, pudo ver los coches de la policía en torno a la casa Eldredge. Un catalejo de poder tan increíble. Si se dirigía a las ventanas de las casas de la población, cualquiera que mirase por él podía convertirse en un atisbador..., en un *voyeur.*

¿Sería posible que Courtney Parrish hubiese

estado mirando por su catalejo cuando los niños desaparecieron de detrás de la casa..., que hubiese visto algo? Pero, si fuese así, naturalmente, hubiera llamado a la policía.

El coche estaba frío. John dio vuelta a la llave de encendido y esperó que el motor se calentara antes de abrir la calefacción. Tomó un puro y lo encendió con el pequeño encendedor Hunhill de oro, regalo de cumpleaños de su esposa: un derroche, un regalo muy querido. Chupó el puro hasta que la punta empezó a brillar.

Era un tonto, un tonto suspicaz. ¿Qué hacer? ¿Telefonear a la policía y decirle que un hombre parecía nervioso y que deberían verle? Si lo hacían, Courtney Parrish diría probablemente: «Iba a tomar un baño y me desagradó que me avisaran con poca anticipación de que iban a mostrar la casa.» Perfectamente razonable. Las personas que viven solas tienden a ser precisas en sus hábitos.

Solo. Ésta era la palabra. Esto es lo que inquietaba a John. Se sorprendió de no ver a alguien más en el apartamento. Algo le había dado la convicción de que Courtney Parrish no estaba solo.

Fue el juguete de niño en la bañera. Era eso. Aquel increíble pato de goma. Y el empalagoso olor a talco para niños...

Una sospecha tan absurda que sería imposible ponerla en palabras tomó forma en la mente de John Kragopoulos.

Sabía lo que tenía que hacer. Deliberadamente, se sacó el encendedor de oro del bolsillo y lo ocultó en la guantera de su coche.

Volvería a El Mirador sin anunciarse. Cuando

Courtney Parrish abriese la puerta, pediría permiso para buscar su valioso encendedor, que debía de haber dejado caer en algún lugar de la casa durante su visita. Era una demanda plausible. Le daría la oportunidad de mirar todo con atención y apaciguar lo que probablemente era una sospecha ridícula, o bien tener algo más que una sospecha para charlar con la policía.

Ya decidido, John apretó el acelerador y giró el coche hacia la izquierda sobre la ruta 6 A, de regreso hacia el centro de Adams Port y al serpenteante y empinado camino que llevaba a El Mirador. Imágenes de un pato de goma descolorido y raspado fluctuaban en su mente mientras conducía a través de la cellisca, que caía espesa y constante.

caminos. Pero, por otra parte, [illegible] por [illegible]
[illegible] [illegible] [illegible] que [illegible]
de [illegible] que [illegible] algo [illegible] de [illegible]
[illegible] [illegible] [illegible] la [illegible]
[illegible] [illegible] [illegible] y [illegible]
guía lo que [illegible], en una [illegible]
calle, o una [illegible] y [illegible] para la [illegible]
cualquier momento.

[illegible] [illegible] [illegible] y [illegible]
cerca [illegible] [illegible] [illegible]
[illegible] hacia [illegible] dama [illegible] y [illegible]
perfume y [illegible] que [illegible] el [illegible]
[illegible] [illegible] [illegible]
[illegible] [illegible] [illegible]
a través de la cabeza, [illegible] cambio y [illegible]

21

No quería recordar... Sólo hallaba dolor volviendo atrás. Una vez, cuando era muy pequeña, Nancy alargó la mano y asió el asa de una olla que estaba en el fuego. Todavía recordaba el rojo torrente de sopa de tomate que se derramó sobre ella. Estuvo en un hospital durante semanas y aún tenía débiles cicatrices en el pecho.

Carl le preguntó qué significaban aquellas cicatrices... Las tocó... «Pobre niña, pobre niña...» Le gustaba que ella le hablase del accidente una y otra vez. «¿Te dolió mucho?», preguntaba.

Recordar era como eso... Dolor..., sólo dolor... No recordar... Olvidar..., olvidar... No quiero recordar...

Pero las preguntas, persistentes, lejanas..., insistían sobre Carl..., sobre la madre..., Lisa..., Peter... Su voz. Estaba hablando. Contestando.

—*No,* por favor; no quiero hablar de eso.

—Pero debe hacerlo. Debe ayudarnos.

Esa voz persistente. ¿Por qué? ¿Por qué?

—¿Por qué tenía usted miedo de Carl, Nancy?

Tenía que contestar, aunque sólo fuese para detener las preguntas.

Oyó su voz lejana, tratando de contestar... Era como contemplarse a sí misma en una representación teatral... Las escenas tomaban forma.

Su madre..., la cena..., la última vez que vio a su madre... El rostro de la madre, tan perturbado, mirándola a ella, a Carl. «¿De dónde sacaste este vestido, Nancy?» Comprendió que a su madre no le gustaba. El vestido de lana blanca. «Carl me ayudó a escogerlo. ¿Te gusta?» «¿No es un poco... juvenil?»

La madre salió para hacer una llamada telefónica. ¿Fue al doctor Miles? Nancy esperaba que fuese así. Quería que su madre fuese feliz... Quizá debería volver a casa con su madre... Quizá dejaría de sentirse tan cansada. ¿Dijo esto a Carl?

Carl se levantó de la mesa. «Excúsame, querida...» La madre volvió antes que él. «Nancy, tú y yo debemos hablar mañana..., cuando estemos solas. Te recogeré para ir a tomar el desayuno.»

Carl volvió... Y la madre..., besándole la mejilla... «Buenas noches, cariño. Te veré a las ocho.» La madre subiendo al coche alquilado, agitando la mano en señal de despedida, conduciendo por la carretera...

Carl la llevó a la escuela. «Me temo que tu madre todavía no me aprueba, querida.»

La llamada... «Ha habido un accidente... El mecanismo de dirección...»

Carl... «Te tendré bajo mi cuidado, niñita mía...»

El entierro...

La boda. Una novia debe vestir de blanco. Llevaría el vestido de lana blanca. Estaría bien, nada más para ir al despacho del alcalde.

Pero no podía ponérselo... Una mancha de grasa en el hombro... «Carl, ¿dónde pude hacerme esta mancha de grasa en este vestido? Solamente lo llevé para cenar con mi madre.» «Haré que lo laven.» Su mano, familiar, dándole una palmada en el hombro...

—No..., no..., no...

La voz.

—¿Qué quiere usted decir, Nancy?

—No sé... No estoy segura... Tengo miedo...

—¿Miedo de Carl?

—No... Es bueno conmigo... Estoy tan cansada..., siempre tan cansada... Toma tu medicina... La necesitas... Los niños... Peter y Lisa... Muy bien durante un tiempo... Carl era bueno... Por favor, Carl, cierra la puerta... Por favor, Carl, esto no me gusta... No me toques así... Déjame tranquila...

—¿Cómo debía dejarla a usted tranquila, Nancy?

—*No*... No quiero hablar de eso...

—¿Carl era bueno con los niños?

—Hacía que le obedecieran... Quería que fuesen buenos... Asustaba a Peter... y a Lisa... «Así, mi niña tiene una niña»...

—¿Es esto lo que decía Carl?

—Sí. Ya no me toca más... Me alegro... Pero no debo tomar medicina después de cenar... Quedo demasiado cansada... Hay algo que no anda bien... Tengo que irme... Los niños... Irme...

—¿Lejos de Carl?

—Yo no estoy enferma... Carl está enfermo...

—¿De qué manera está enfermo, Nancy?

—No sé...

—Nancy, háblenos del día en que Lisa y Peter desaparecieron. ¿Qué recuerda usted de aquel hecho?

—Carl está enojado.

—¿Por qué está enojado?

—La medicina... La noche pasada... Me vio tirarla... Trajo más... Me la hizo tomar... Tan cansada... tanto sueño... Lisa está llorando... Carl... con ella... Tengo que levantarme... tengo que ir con ella... Llora tan fuerte... Carl le pegó... Dijo que se había orinado en la cama... Tengo que llevármela... por la mañana... Mi cumpleaños... Se lo diré a Carl...

—¿Qué le dirá?

—Él sabe... empieza a saber...

—¿Saber qué, Nancy?

—Me iré... llevaré a los niños... Tengo que irme...

—¿No amaba usted a Carl, Nancy?

—Debía. Él dijo: «Feliz cumpleaños»... Lisa, tan callada. Le prometí que haríamos un pastel para mi cumpleaños... Ella y Peter y yo... Saldríamos y compraríamos velas y chocolate para el pastel. Es un mal día... Empieza a llover... Puede que Lisa esté enfermando...

—¿Carl fue a la escuela aquel día?

—Sí... Telefoneó... Le dije que íbamos al centro comercial... que después me detendría en el consultorio del doctor para hacer que viese a Lisa... Estaba preocupada. Dije que iría al Mart a las once... después del programa de televisión de los niños...

—¿Qué contestó Carl cuando usted le dijo que estaba preocupada por Lisa?

—Que era un mal día... Que si Lisa tenía un resfriado, no quería que saliera. Respondí que les dejaría en el coche mientras yo compraba... Querían ayudarme a hacer el pastel... Estaban excitados con mi cumpleaños. Nunca se divertían... No debía dejar que Carl fuese tan estricto... Fue culpa mía... Hablaría con el doctor... Tenía que preguntar al doctor... Sobre Lisa... sobre mí... ¿Por qué estoy siempre tan cansada...? ¿Por qué tomo tantas medicinas...? Rob hacía reír a los niños... Eran tan diferentes con él... Los niños deben reír...

—¿Estaba usted enamorada de Rob, Nancy?

—No... Me sentía enjaulada..., tenía que salir..., quería hablar con alguien... Luego Rob contó que yo le había dicho... No era así..., no era así...

Su voz empezaba a elevarse. La de Lendon se tornó tranquilizadora.

—Entonces se llevó usted a los niños a la tienda a las once.

—Sí. Está lloviendo... Mandé a los niños que se quedaran en el coche... Dijeron que lo harían... Unas criaturas tan buenas... Los dejé en el asiento de atrás del coche... Nunca volví a verlos... Nunca..., nunca.

—Nancy, ¿había muchos coches allí?

—No... En la tienda, nadie a quien yo conociera... Hacía tanto viento... y frío... No mucha gente...

—¿Cuánto tiempo estuvo en la tienda?

—No mucho... Diez minutos... No pude encontrar velas para el pastel... Diez minutos... Corrí hacia el coche... Los niños no estaban.

Su voz era incrédula.

—¿Qué hizo usted, Nancy?

—No sabía qué hacer... Quizá habían ido a comprar un regalo para mí... Peter llevaba dinero... No hubieran salido del coche más que para eso... Son tan buenos... Puede que se decidieran a salir por eso... Quizá en otra tienda... la de baratijas... Miré en la tienda de dulces... miré en la tienda de regalos... en la ferretería... miré otra vez dentro del coche... Busqué, busqué a los niños...

—¿Preguntó usted a alguien si habían sido vistos?

—No... No debía dejar que Carl lo supiera. Se enfurecería... No quiero que castigue a los niños...

—Entonces usted buscó en todas las tiendas del centro comercial.

—Quizá fueron a buscarme... Se perdieron... Miré en el aparcamiento... Quizá no podían volver a encontrar el coche... Empecé a llamarlos... Asustada... Alguien dijo: «Llamaremos a la policía y a su marido...» Yo dije: «No se lo digan a mi marido, por favor...» Una mujer declaró esto en el proceso... Simplemente, no quería que Carl se enfureciera...

—¿Por qué no declaró usted esto en su proceso?

—No debía... El abogado afirmó: «No diga que Carl estaba enfurecido... No diga que discutieron por teléfono...» Lisa no se había orinado en la cama... la cama estaba seca...

—¿Qué quiere usted decir?

—La cama estaba seca... ¿Por qué le hizo daño Carl? ¿Por qué? No importa... Nada importa... Los niños perdidos... Michael... Missy... también perdidos... Búsquenlos... hay que buscarlos...

—Háblenos de cuando buscó a Michael y Missy, esta mañana.

—Debo buscar en el lago... Quizá se fueron al lago... Quizá cayeron al agua... Corre, corre... Hay algo en el lago... Hay algo bajo el agua...

—¿Qué había bajo el agua, Nancy?

—Rojo, algo rojo... Quizá es el guante de Missy... Debo cogerlo... El agua está tan fría... No puedo alcanzarlo... No es el guante... Hace frío, frío...

—¿Qué hizo usted?

—Los niños no están aquí... Sal... sal del agua... Qué frío... La playa... Caí en la playa... Él estaba allí... en el bosque... mirándome... Le vi allí... mirándome.

Jed Coffin se levantó. Ray saltó hacia adelante convulsivamente. Lendon levantó una mano en señal de advertencia.

—¿Quién estaba allí, Nancy? —preguntó—. Díganos quién estaba allí.

—Un hombre... Le conozco... Era... era... Rob Legler... Rob Legler estaba allí... Se escondía... mirándome.

Su voz se elevó, descendió; sus párpados se agitaron, abiertos, luego se cerraron otra vez lentamente. Ray palideció. Dorothy respiró con fuerza. Así, los dos casos estaban relacionados.

—El amital termina su efecto. Volverá en sí pronto.

Lendon se levantó e hizo una mueca por la sensación de calambre que tuvo en sus rodillas y muslos.

—Doctor, ¿puedo hablar con usted y Jonathan fuera? —La voz de Jed era neutra.

—Quédese con ella, Ray —recomendó Lendon—. Probablemente despertará de un momento a otro.

En el comedor, Jed se enfrentó a Lendon y Jonathan.

—Doctor, ¿cuánto tiempo ha de durar esto? El rostro de Jed era impenetrable.

—No creo que debamos intentar hacer más preguntas a Nancy.

—¿Qué hemos obtenido de todo esto, fuera de que le tenía miedo a su marido, de que, evidentemente, no le amaba y de que Rob Legler puede haber estado en el lago esta mañana?

Lendon le miró fijamente.

—¡Bueno Dios!, ¿no oyó usted lo que esa muchacha estaba diciendo? ¿Ignora usted qué era lo que escuchaba?

—Sólo sé que no he oído ni una sola cosa que me ayude a cumplir con mi responsabilidad de encontrar a los niños Eldredge. Oí a Nancy Eldredge culparse por la muerte de su madre, cosa natural en un caso en que la visita a la hija en la escuela da por resultado la muerte de su madre. Sus reacciones en cuanto a su primer marido suenan muy histéricas. Trató de culparle a él por el hecho de que ella quería deshacer su matrimonio.

—¿Qué impresión sacó usted de Carl Harmon? —preguntó Lendon tranquilamente.

—Uno de esos tipos posesivos que se casan con una muchacha más joven y quieren dominarla. ¡Diablos!, no es nada diferente de la mitad de los hombres del Cabo. Puedo citarle a usted ejemplos de tipos que no dejan que sus esposas manejen ni un céntimo, fuera del dinero para la comida. Conozco a uno que no deja que su esposa conduzca el coche familiar. Otro nunca deja salir sola a su esposa de noche. Esta clase de cosas son comunes en el mundo entero. Quizá sea por esto que esa gente de la Liberación de la Mujer tienen algo en que cebarse.

—Jefe, ¿sabe usted qué es la pedifilia? —preguntó Lendon con calma.

Jonathan asintió con un movimiento de cabeza.

—Esto es lo que he estado pensando —replicó.

Lendon no dio a Jed tiempo para contestar.

—En términos corrientes, es una desviación sexual que implica actividad sexual de cualquier tipo con un niño que no ha llegado todavía a la pubertad.

—¿Qué tiene que ver esto aquí?

—Nada... No completamente. Nancy tenía dieciocho años cuando se casó. Pero de aspecto podía parecer muy infantil. Jefe, ¿hay manera de que pueda usted revisar los antecedentes de Carl Harmon?

Jed Coffin parecía incrédulo. Cuando contestó, su voz temblaba de furia reprimida. Señaló la cellisca, que hacía sonar contra la ventana un constante y agudo ruido *staccato*.

—Doctor —dijo—, ¿ve y oye usted esto? En algún lugar fuera de aquí dos niños están vagando a punto de helarse o están en manos de Dios sabe qué clase de individuo, y quizá estén muertos. Pero mi tarea es la de encontrarlos, y de encontrarlos ahora. Tenemos una pista evidente en todo esto: Nancy Eldredge y un empleado del servicio de gasolina ha identificado a Rob Legler, un personaje repulsivo, en las inmediatas cercanías. Ésta es la clase de información sobre la que puedo hacer algo. —Escupió las palabras con mofa—. Y me pide usted que pierda el tiempo revisando los antecedentes de un hombre muerto para probar una teoría ampulosa.

Sonó el teléfono. Bernie Mills, que había permanecido en la estancia discretamente, corrió a contestar mientras pensaba: «Ahora estaban hablando de revisar los antecedentes del primer marido de Nancy. Espera que le cuente todo eso a Jean.» Tomó el teléfono rápidamente. Era la comisaría.

—Que se ponga el jefe. —El sargento Poler fue quien disparó estas palabras.

Lendon y Jonathan observaban mientras el jefe Coffin escuchaba; luego formuló rápidamente breves preguntas.

—¿Cuánto tiempo hace? ¿Dónde?

Los hombres se miraron en silencio. Lendon se dio cuenta de que estaba rezando... Una plegaria inarticulada y ferviente para que el mensaje no se tratara de malas noticias acerca de los niños.

Jed colgó de un golpe el teléfono y se volvió hacia ellos.

—Rob Legler se registró como huésped en el Adams Port Motel, aquí mismo, en la población, hacia las diez y media de esta mañana. Un coche que creemos robó acaba de estrellarse en la ruta 6 A, pero él huyó. Probablemente se dirige al continente. Hemos organizado una completa búsqueda para encontrarlo y yo me voy a dirigirla. Dejaré aquí al oficial Mills. Cazaremos a ese pájaro Legler y, cuando lo tengamos, creo que realmente tendremos la respuesta sobre lo que sucedió a esos niños.

Cuando la puerta se hubo cerrado detrás del jefe, Jonathan habló a Lendon:

—¿Qué saca usted de todo esto? —preguntó.

Lendon esperó un minuto largo antes de contestar. «Estoy demasiado cerca de esto —pensó—. Veo a Priscilla en aquel teléfono... llamándome. Carl Harmon se levantó de la mesa después de ella. ¿Adónde fue? ¿Oyó lo que Priscilla me dijo? Nancy dijo que su vestido estaba manchado de grasa. ¿No estaría diciendo, en realidad, que creía que la mano de Carl estaba untada y cuando la puso sobre su hombro ensució el vestido? ¿No intentaría decir que creía que Carl Harmon podía haber hecho algo al coche de Priscilla?» Lendon empezó a adivinar una imagen de violencias. Pero ¿de qué serviría este conocimiento, con Carl Harmon en la tumba?

Jonathan exclamó:

—Si su mente corre en la misma dirección que la mía, volver a la desaparición de los niños Harmon no nos ayudará. Usted piensa en el padre.

—Sí —contestó Lendon.

—Y, puesto que está muerto, volvemos a Rob

Legler, el hombre que Carl Harmon mandó a su casa y el único testigo cuya declaración condenaba a Nancy. ¿Es muy exacto lo que dijo ella esta mañana bajo los efectos del amital?

Lendon sacudió la cabeza.

—No puedo estar seguro. Se sabe que incluso bajo un sedante algunos pacientes pueden resistir y reprimirse. Pero creo que Nancy vio, o creyó ver, a Rob Legler en el lago Maushop.

Jonathan añadió:

—Y a las diez y media de esta mañana se alojó en un hotel, *solo.*

Lendon asintió.

Sin decir nada más, los dos hombres se volvieron y miraron por la ventana en dirección al lago.

22

Las noticias por televisión, a las cinco de la tarde, se ocuparon poco de la crisis de Oriente Medio, de la creciente inflación, de la amenaza de huelga de los trabajadores de la industria del automóvil y de la precaria situación de los patriotas de Nueva Inglaterra. Casi toda la media hora de emisión fue dedicada a la desaparición de los niños Eldredge y a viejos retazos filmados del sensacional proceso Harmon por asesinato.

Se reprodujeron fotografías que habían aparecido en el *Cape Cod Community News*. Se dedicó especial atención a una en que Rob Legler salía del edificio del tribunal, en San Francisco, con el profesor Carl Harmon, después de haber sido acusada Nancy Harmon del asesinato deliberado de sus hijos.

En la voz del comentarista había una insistencia especial cuando se mostró aquella fotografía.

—Rob Legler ha sido identificado inequívocamente y se hallaba en las cercanías de la casa de Eldredge esta mañana. Si cree alguno de ustedes haber visto a este hombre, haga el favor de llamar inmediatamente a este número especial: KL cinco tres ochocientos. Las vidas de los niños Eldredge pueden depender de ello. Si creen ustedes poseer alguna información que pueda conducir a la persona o personas responsables de la desaparición de los niños, les instamos a que llamen a este número: KL cinco tres ochocientos. Repitámoslo otra vez: KL cinco tres ochocientos.

Los Wiggins habían cerrado su tienda cuando se cortó la corriente eléctrica y llegaron a casa a tiempo para captar la emisión con su aparato, que funcionaba con baterías.

—Ese individuo, me parece haberlo visto —dijo la señora Wiggins.

—Dirías esto en cualquier caso —se burló su marido.

—No..., no realmente. Hay algo en él... La manera como se inclina hacia adelante... Ciertamente, no es de buen ver.

Jack Wiggins miró fijamente a su persona.

—Yo estaba pensando precisamente que es el tipo capaz de trastornar la cabeza de una muchacha.

—¿Él? ¡Oh, te refieres al joven! Yo hablo del otro..., del profesor.

Jack miró a su mujer con condescendencia.

—Por esto digo que las mujeres no constituyen buenos testigos y nunca deberían formar parte de los jurados. Nadie habla de ese profesor Harmon. Se suicidó. Hablan de Legler.

La señora Wiggins se mordió el labio.

—Comprendo. Bueno, supongo que tienes razón. Es sólo... ¡Oh!, bueno...

Su marido se levantó pesadamente.

—¿Cuándo estará lista la cena?

—No tardará. Pero cuesta preocuparse por la comida cuando uno piensa en los pequeños Michael y Missy... Dios sabe dónde... Uno piensa que sólo desea ayudarlos. No me importa lo que digan de Nancy Eldredge. Nunca vino con mucha frecuencia a la tienda, pero cuando lo hacía me gustaba contemplarla con los niños. Tenía una manera de tratarlos tan agradable..., sin alterarse jamás, sin salirse de sus casillas como la mitad de esas madres jóvenes. Esto hace que nuestras pequeñas molestias sean tan poco importantes, ¿sabes?

—¿Qué pequeñas molestias tenemos? —el tono de Jack era agudamente suspicaz.

—Bueno... —la señora Wiggins se mordió los labios de nuevo.

Habían tenido muchos problemas a causa de los rateros de tiendas, el verano pasado. Jack se alteraba con la sola mención de ello. Ésa fue la causa de que durante todo el día le hubiera parecido que no valía la pena decirle que estaba absolutamente segura de que, esta mañana, el señor Parrish había robado del estante un gran bote de talco para niños.

23

Las noticias de las cinco de la tarde estaban sintonizadas en un hogar modesto a poca distancia de la iglesia de San Francisco Javier, en Hyannis Port. La familia de Patrick Keeney se disponía a empezar a cenar. Todos los ojos estaban fijos en el pequeño televisor portátil en el reducido y atestado comedor.

Ellen Keeney movió la cabeza cuando la fotografía de Michael y Missy Eldredge llenó la pantalla. Involuntariamente, miró a sus hijos: Neil y Jimmy, Deirdre y Kit... Uno..., dos..., tres..., cuatro. Siempre que los llevaba a la playa, así era, nunca dejaba de contar las cabezas. «Dios mío, no dejes que les pase nada nunca, por favor.» Ésta era su oración.

Ellen comulgaba a diario en la iglesia de San Francisco, y generalmente asistía a la misma misa que la señora Rose Kennedy. Recordó aquellos días, después de que el presidente y luego Bobby fueran asesinados, en que la señora Kennedy entraba en la iglesia con el rostro marcado por el dolor, pero aun así sereno y compuesto. Ellen nunca la observaba durante la misa. Pobre señora, tenía derecho a cierta vida privada en alguna parte. A menudo la señora Kennedy sonreía e inclinaba la cabeza, y alguna vez decía: «Buenos días», si sucedía que después de la misa salían al mismo tiempo. «¿Cómo lo soporta? —se preguntaba Ellen—. ¿Cómo puede soportarlo?» Ahora pensaba lo mismo: «¿Cómo puede soportarlo Nancy...? Especialmente cuando uno piensa que ya le sucedió esto antes.»

El comentarista hablaba del artículo aparecido en el *Community News*, del que la policía trataba de hallar la pista del autor. La mente de Ellen apenas registraba sus palabras, y decidió que Nancy no era responsable de la muerte de sus hijos. Simplemente, no era posible. Ninguna madre asesina a su propia carne. Vio que Pat la miraba y le sonrió débilmente... Un mensaje que significaba: «Somos afortunados, querido; somos afortunados.»

—Engordó terriblemente —dijo Neil.

Sobresaltada, Ellen miró fijamente a su hijo mayor. A los siete años, Neil la preocupaba. Era tan osado, tan impredecible... Tenía el pelo rubio oscuro y los ojos grises de Pat. Era bajo para su edad y ella sabía que esto le inquietaba un poco, pero ella, de cuando en cuando, lo tranquilizaba: «Papá es alto y tu tío John es alto, y algún día tú lo serás también.» De todas maneras, Neil parecía más pequeño que todos los demás chicos de su clase.

—¿Quién engordó, querido? —preguntó con aire ausente, volviendo la espalda para mirar la pantalla.

—Ese hombre, el de enfrente. Es el que me dio el dólar para que pidiese su correspondencia en la oficina de Correos, el mes pasado. Recuerda: te enseñé la nota que escribió, porque tú no querías creerlo.

Ellen y Pat miraron la pantalla. Veían la fotografía de Rob Legler siguiendo al profesor Carl Harmon al salir de la sala del tribunal.

—Neil, estás equivocado. Este hombre está muerto hace mucho tiempo.

Neil pareció ofendido.

—Ves, nunca me crees. Cuando me preguntaste de dónde había sacado aquel dólar y te lo dije, tampoco me creíste. Ahora está mucho más gordo y ha perdido el pelo, pero cuando se asomó de la furgoneta tenía la cabeza como inclinada hacia abajo, como ese hombre.

El locutor estaba diciendo: «... cualquier información, no importa lo inconsciente que parezca...»

Pat frunció el ceño.

—¿Por qué estás enojado, papá? —preguntó con ansia Deirdre, la de cinco años.

La cara de Pat se serenó. Neil había dicho: «... como ese hombre».

—Supongo que es porque a veces me doy cuenta de lo duro que es criar a un montón de chiquillos como vosotros —contestó, pasando la mano por el pelo corto y rizado de la niña, agradecido por tenerla junto a él y poder acariciarla—. Apaga la televisión, Neil —ordenó al niño—.

Ahora, pequeños, antes de dar gracias, rogaremos a Dios que mande a los niños Eldredge sanos y salvos a su casa.

Durante la plegaria que siguió, el pensamiento de Ellen estaba lejos. Habían pedido cualquier información, no importaba lo inconsciente que pareciera, y Neil había obtenido aquella propina de un dólar para recoger una carta en la lista de Correos. Recordaba la fecha porque había una reunión de padres en la escuela aquella noche y a ella le había fastidiado que Neil llegara tarde para la cena. De pronto recordó algo.

—Neil, por casualidad, ¿tienes todavía la nota que aquel hombre te dio para mostrarla en la oficina de correos? —preguntó—. No vi que la pusieras en tu alcancía con el dólar.

—Sí, la guardé.

—¿Quieres traerla, por favor? —le pidió—. Quiero ver el nombre que está escrito en ella.

Pat la estaba observando. Cuando Neil salió, habló por encima de las cabezas de los niños:

—No me digas que ves alguna relación...

Ella, de pronto, se sintió ridícula.

—¡Oh, come, querido! Supongo que es un caso de nervios. La gente como yo es la que siempre hace perder el tiempo a los policías. Kit, pásame tu plato; te cortaré la carne de la manera que a ti te gusta.

24

Todo iba mal. Nada resultaba como él había esperado. Esa mujer tonta que vino aquí, y luego la niña; tener que esperar que despertara, si es que despertaba, para poder sentirla retorcerse y forcejear para soltarse. Luego el niño escapándosele, escondiéndose. Tenía que encontrarle.

Courtney tenía la sensación de que todo se le escapaba. Su anterior sensación de placer y expectación se había convertido en decepción y resentimiento. Ya no sudaba, pero el espeso sudor todavía impregnaba sus ropas y hacía que se le pegaran desagradablemente al cuerpo. El pensamiento de los grandes ojos azules del niño, tan parecidos a los de Nancy, no le producía placer anticipado.

El niño era una amenaza. Si escapaba, sería el fin. Era mejor acabar con los dos; hacer lo que ya había hecho antes. En un instante podría suprimir la amenaza: dejarlos sin aire, de modo que labios, narices y ojos quedasen cubiertos... Y luego, a las pocas horas..., cuando la marea fuese alta, tirar sus cuerpos al oleaje agitado. Nadie lo sabría. Entonces estaría aquí, seguro de nuevo, sin nada que le amenazara; aquí, para gozar del tormento de Nancy.

Y mañana por la noche, desaparecida toda amenaza, se dirigiría al continente. Saldría hacia el crepúsculo y probablemente alguna niña andaría sola y le diría que era el nuevo maestro... Esto siempre resultaba.

Tomada la decisión, se sintió mejor. Ahora todo lo que quería era terminar con esta amenaza. Ese niño, recalcitrante como Nancy..., molesto..., desagradecido..., que intentaba escapar... Le encontraría. Le amarraría y luego obtendría las delgadas hojas de plástico aterciopelado. Se aseguraría de obtener una marca que Nancy podría haber comprado en la tienda de Lowery. Entonces la aplicaría al niño primero, porque el niño era inaguantable. Y después..., a la niña también, y enseguida. Era demasiado peligroso conservarla, ni siquiera a ella.

El sentimiento de peligro siempre avivaba su percepción. Como la otra vez. Realmente ignoraba lo que quería hacer cuando se deslizó fuera del recinto universitario hacia el centro comercial. Solamente sabía que no podía dejar que Nancy llevara a Lisa al doctor. Estuvo allí antes de que ella llegara, aparcado en aquella pequeña vía entre el centro comercial y la universidad. La vio llegar en el coche, hablar con los niños, entrar en la tienda. Ningún coche por allí cerca. Ni un alma alrededor. En un momento supo lo que debía hacer.

Los niños habían sido obedientes. Parecían sobresaltados y asustados cuando él abrió la puerta del coche, pero cuando les dijo: «Rápido, ahora vamos a hacerle un juego a mamá por su cumpleaños», se metieron en el camión y en un instante todo hubo terminado. Las bolsas de plástico sobre sus cabezas, apretadas, sosteniéndolas con las manos hasta que los niños dejaron de retorcerse; el camión cerrado y él de regreso en la escuela. Menos de ocho minutos en total; los alumnos estaban absortos en sus experimentos de laboratorio, y ninguno de ellos había advertido su ausencia. Un montón de testigos para afirmar su presencia, si era necesario. Aquella noche, simplemente, fue con el camión hasta la playa y arrojó los cadáveres al mar. La oportunidad aprovechada, el peligro advertido aquel día, siete años antes, y ahora el peligro que debía ser advertido otra vez.

—Michael; sal, Michael. Te llevaré a casa con tu madre.

Estaba todavía en la cocina. Levantando la linterna, miró alrededor. Aquí no había ningún lugar donde esconderse. Los armarios eran altos. Pero encontrar al niño en esta casa oscura y llena de rincones, con sólo una linterna para ver, sería infinitamente difícil. Necesitaría horas, y ¿por dónde empezar?

—Michael, ¿no quieres ir a casa con tu madre? —gritó otra vez—. No se fue con Dios... Está muy bien... Quiere verte.

«¿Debería probar en el tercer piso y mirar primero en aquellos dormitorios?», pensó.

Pero el niño probablemente habría intentado llegar a esta puerta. Era listo. No se hubiera quedado arriba. ¿Habría ido hasta la puerta de enfrente? Mejor mirar allí.

Empezó a atravesar el pequeño vestíbulo, pero entonces recordó la salita de atrás. Si el niño había intentado salir por la cocina y le había oído llegar, ése sería el lugar lógico donde esconderse.

Llegó al umbral de la salita. ¿Era una respiración lo que oía, o solamente el viento suspirando contra la casa? Dio unos pasos más dentro de la sala sosteniendo la linterna de keroseno sobre su cabeza. Sus ojos penetraban la oscuridad y percibían los objetos. Iba a volverse cuando hizo girar la linterna a su derecha.

Con los ojos fijos en lo que veía, soltó un agudo e histérico relincho. La sombra de una pequeña figura agachada tras el diván se proyectaba como un acurrucado conejo gigante sobre el suelo de roble descolorido.

—Te encontré, Michael —gritó, todavía riendo—; y esta vez no te escaparás.

25

El fallo de la electricidad empezó cuando John Kragopoulos giró desde la ruta 6 A a la carretera que conducía a El Mirador. Instintivamente apretó el botón, bajo su pie, que encendía los brillantes faros. La visión era todavía escasa y él conducía con cuidado, sintiendo el suelo resbaladizo bajo las ruedas y la tendencia del coche a deslizarse en los virajes.

Se preguntó cómo podría justificar la búsqueda de un pequeño encendedor, en aquella casa cavernosa. El señor Parrish, razonablemente, podría sugerir que volviese por la mañana, o bien ofrecerse a buscarlo él y dar el encendedor a Dorothy si lo encontraba.

John decidió que se acercaría a la puerta con su linterna eléctrica. Diría que estaba completamente seguro de recordar haber oído la caída de algo cuando estaba inclinado sobre el catalejo. Tenía la intención de ver si algo había caído de su bolsillo.

Esto era razonable. Era el apartamento del cuarto piso lo que él quería ver, de todas maneras.

La empinada ascensión a El Mirador era traidora. En la última curva del camino, el extremo anterior del coche se balanceó precariamente. John agarró con fuerza el volante mientras las ruedas se adherían al suelo y mantenían la dirección. Había estado a pocos centímetros de dar contra el terraplén en pendiente, y sin duda hubiera chocado con el gran roble que quedaba a menos de dos metros. Pocos minutos después giró por la avenida posterior de El Mirador, rechazando la alternativa de entrar en el relativo refugio del garaje, como había hecho Dorothy. Quería mostrarse natural, abierto. En todo caso, sus maneras debían ser un poquito irritadas, como sintiéndose también él fastidiado. Diría que, puesto que había descubierto su pérdida durante la comida y que estaba todavía en la población, había decidido volver en vez de telefonear.

Cuando salió del coche, le impresionó la oscuridad, de mal agüero, de la gran casa. Incluso el último piso estaba completamente en tinieblas. Sin duda el hombre tendría linternas. Los cortes de electricidad en el Cabo durante las fuertes tormentas no debían de ser inusitados. Supongamos que Parrish se hubiese dormido y no se diera cuenta de que faltaba la luz... Supongamos..., sólo supongamos..., que hubiese tenido de visita a una mujer que no quisiera ser vista. Era la primera vez que esta posibilidad se le ocurría a John.

Sintiéndose súbitamente ridículo, dudó sobre si volver o no a subir al coche. La cellisca le aguijoneó el rostro. El viento se introdujo bajo el cuello y dentro de las mangas de su abrigo, y la tibia satisfacción de la comida se disipó. Pensó que tenía frío y estaba cansado, y tenía por delante un trayecto difícil y largo. Quedaría en ridículo, con su historia inventada. ¿Por qué no había pensado antes en la posibilidad de que Parrish tuviese una visita a la que molestaría ser vista? John decidió que era un estúpido, un idiota suspicaz. Él y Dorothy, probablemente, habían interrumpido un abrazo y nada más. Se iría de aquí antes de volver a causar molestias.

Estaba a punto de sentarse ante el volante, cuando vio el resplandor de una luz en la alejada ventana de la cocina, a la izquierda. La luz se movía rápidamente y a los pocos segundos pudo verla reflejada en las ventanas a la derecha de la puerta de la cocina. Alguien andaba por la cocina con una lámpara.

John cerró la puerta del coche con cuidado de modo que no hizo ruido, sólo un suave crujido. Asiendo la lámpara eléctrica, atravesó la avenida hasta la ventana de la cocina y miró adentro. La luz ahora parecía venir del vestíbulo. Mentalmente revisó la disposición de la casa. Se llegaba a la escalera posterior a través de ese vestíbulo y al otro lado estaba la salita. Arrimándose a las viejas piedras, avanzó rápidamente, a lo largo de la parte posterior de la casa, hasta más allá de la puerta de la cocina, a las ventanas que debían ser las de la salita. El resplandor de la linterna se había atenuado, pero mientras él miraba se hizo más fuerte. Se echó hacia atrás cuando la linterna se hizo visible, sostenida en alto por un brazo levantado. Ahora pudo ver a Courtney Parrish. El hombre buscaba algo... ¿Qué? Llamaba a alguien. John se esforzó por oír. El viento ahogaba el sonido, pero pudo entender el nombre: «Michael.» ¡Parrish llamaba a Michael!

John sintió que un miedo helado recorría su espina dorsal. Tenía razón. El hombre era un loco, y aquellos niños estaban en un lugar de la casa. La linterna que hacía girar en círculos era un faro que iluminaba la sólida corpulencia del cuerpo de Parrish. John se sintió totalmente inadecuado, y se daba cuenta de que no podría competir físicamente con aquel hombre. Tenía solamente la lámpara eléctrica como arma. ¿Debería ir a pedir ayuda? ¿Era posible que Michael hubiese escapado de Parrish? Pero, si Parrish lo encontraba, incluso unos pocos minutos podrían ser decisivos.

Entonces, ante sus ojos horrorizados, John vio que Parrish balanceaba la linterna hacia la derecha y alargaba la mano detrás del diván para sacar a una pequeña figura que trataba desesperadamente de escapar. Parrish dejó la lámpara y, mientras John miraba, cerró ambas manos en torno a la garganta del niño.

Actuando tan instintivamente como lo hizo cuando se encontró en combate durante la Segunda Guerra Mundial, John echó el brazo hacia atrás y golpeó el cristal con la lámpara. Mientras Courtney Parrish se volvía, John pasó su mano por el agujero y abrió la falleba. Con fuerza sobrehumana, levantó la ventana y saltó dentro de la habitación. Dejó caer la lámpara cuando sus pies tocaron el suelo, y Parrish se apoderó de ella. Sosteniendo todavía su linterna de keroseno en la mano izquierda, Parrish levantó la lámpara eléctrica con la derecha, sosteniéndola sobre su cabeza como un arma.

No había manera de escapar al inevitable golpe. Pero John retrocedió y se agachó contra la pared para ganar tiempo. Mientras, gritaba:

—Huye, Michael... Pide socorro.

Logró dar un puntapié a la linterna de keroseno haciéndola caer de la mano de Parrish un instante antes de que la lámpara eléctrica se estrellara contra su cráneo.

26

Había sido un error desembarazarse del coche. Fue un acto de puro pánico estúpido. Rob creía en que uno podía crearse su propia suerte. Hoy había cometido todos los desatinos posibles. Cuando vio a Nancy en el lago, debería haberse largado de Cabo Cod. En vez de esto, se imaginó que ella podía haber tropezado y caído, y que todo lo que él debía hacer era esconderse durante un día y luego ir a verlos, a ella y a su marido, y sacarles algún dinero. Se había obstinado en quedarse en las cercanías, y ahora los niños habían desaparecido.

Rob nunca creyó realmente que Nancy hubiese tenido nada que ver con la desaparición de los otros niños; pero ahora, ¿quién podía saberlo? Quizá estaba trastornada, tal como Harmon solía decirle.

Cuando dejó el coche, Rob tomó la dirección del sur, hacia la principal autopista que atravesaba el centro del Cabo. Pero, cuando pasó a su lado un coche de la policía haciendo sonar la sirena, volvió atrás. Aun cuando pudiese conseguir que un coche le recogiera, era probable que tuviesen bloqueada la carretera en el puente. Sería mejor dirigirse a la bahía. Tenía que haber allí muchas cabañas de veraneo cerradas. Se introduciría en una de ellas y se ocultaría por algún tiempo. En la mayoría de ellas, probablemente habrían dejado algunas provisiones en la cocina, y él empezaba a tener hambre. Luego, pasados un par de días, cuando se hubiese acabado el barullo, buscaría un camión, se escondería en su parte posterior y saldría de esta maldita isla.

Se estremecía mientras corría por los estrechos y oscuros caminos. Una cosa buena: con esta mierda de tiempo, no había ningún peligro de encontrarse con gente que anduviera por ahí. Casi ningún coche en la carretera, además.

Pero, cuando dobló una curva de la carretera, Rob tuvo apenas tiempo de meterse de un salto entre las espesas matas del seto para evitar ser descubierto por los potentes faros de un coche que se acercaba. Jadeando, esperó hasta que el automóvil hubo pasado chirriando por delante de él. ¡Cristo! Otro coche de polizontes. Había enjambres de ellos en el lugar. Tendría que salir de la carretera. A lo sumo ya sólo faltarían un par de manzanas hacia la playa, ahora. Avanzando ligeramente a lo largo del seto, Rob se dirigió hacia el bosque que bordeaba la parte posterior de las casas cercanas a él. Aquí había menos posibilidades de ser descubierto, aun cuando tardara más al tener que dar la vuelta a los patios.

¿Y si Nancy le hubiese visto en el lago? Miró

en su dirección... Pero quizá no. Él negaría que estuvo allí, naturalmente. El estado en que ella se encontraba no le permitiría testificar que le vio. Nadie más le había visto. Estaba seguro de esto. Excepto..., el conductor de aquella furgoneta. Probablemente un tipo de la localidad... Placa de Massachusetts... 8, X, 6, 4, 2... ¿Cómo lo recordaba? Al revés... ¡Oh, naturalmente..., 2, 4, 6, 8! Había observado eso. Si era atrapado, podría hablar a los polizontes de aquella furgoneta. La había visto salir retrocediendo del camino de tierra que conduce a la propiedad de Eldredge, y eso debió ser precisamente en torno a la hora en que los niños desaparecieron.

Pero, por otro lado, supongamos que la furgoneta fuese un vehículo regular de entregas a domicilio sobre el cual ya estuviesen enterados. Rob no había visto al conductor, no le había prestado atención, realmente... Sólo se había dado cuenta de que era un tipo alto, gordo. Si le pillaban, hablar de la furgoneta no haría más que comprometerle por haber estado cerca de la casa de Eldredge.

No. No confesaría nada, si le atrapaban. Diría que había proyectado visitar a Nancy. Que luego había visto su fotografía en aquellas noticias sobre el caso Harmon y había decidido marcharse. Tomada esta determinación, Rob se sintió mejor. Ahora, sólo con que pudiese llegar a la playa y meterse en una cabaña...

Se apresuró, teniendo cuidado de mantenerse entre las sombras de los rígidos árboles; tropezó, lanzó un juramento en voz baja y recobró el equilibrio. Esta cellisca estaba dejando todo ese maldito lugar tan resbaladizo como una pista de patinaje. Pero no podía ir mucho más lejos. Tenía que guarecerse en alguna parte, o era seguro que alguien le descubriría. Sosteniéndose contra los árboles, cubiertos por una corteza de hielo, procuró avanzar más aprisa.

27

Thurston Givens estaba sentado tranquilamente en su porche acristalado de la parte trasera, contemplando la tormenta casi en la oscuridad. Octogenario, siempre había encontrado fascinante las tempestades del nordeste y sabía que no era probable que las viera durante muchos años más. La radio estaba puesta muy baja y él acababa de oír el último boletín sobre los niños Eldredge. No había aún ningún rastro de ellos.

Thurston permanecía sentado, mirando fijamente afuera y preguntándose por qué criaturas de pocos años tenían que conocer tantas desgracias. Su único hijo había muerto a los cinco años durante la epidemia de gripe de 1917.

Administrador de fincas retirado, Thurston conocía bien a Ray Eldredge. Había sido amigo del padre y del abuelo de Ray, además, Ray era un buen tipo, de la clase de hombres que necesitaba el Cabo. Era emprendedor y bueno en su profesión;

no de la especie de los que hacen negocios rápidos y dejan que el público se vaya al diablo. Sería una maldita vergüenza que le sucediese algo a esos hijos suyos. Nancy, ciertamente, no le parecía a Thurston persona que pudiese mezclarse en ningún asesinato. Tenía que haber una respuesta mejor.

Estaba dejándose arrastrar por algo así como un sueño cuando un movimiento en el bosque le llamó la atención. Se inclinó hacia adelante y miró con los ojos entreabiertos. Había alguien allá, deslizándose, evidentemente procurando ocultarse. Nadie estaría en ese bosque para nada bueno con este tiempo; habían ocurrido muchos robos en el Cabo, particularmente en esta zona.

Thurston tomó el teléfono. Marcó el número de la comisaría de policía. El jefe Coffin era un viejo amigo, pero, naturalmente, no era probable que estuviese allí. Debía de estar fuera ocupándose del caso Eldredge.

Al otro extremo de la línea contestaron a la llamada y una voz dijo:

—Comisaría de policía de Adams Port. Sargento Poler...

Thurston le interrumpió con impaciencia:

—Aquí Thurston Givens —dijo crispado—. Quiero que vosotros sepáis que hay un individuo que vaga por el bosque detrás de mi casa y que se dirige hacia la bahía.

28

Nancy estaba sentada en el diván, erguida, mirando fijamente hacia adelante. Ray había encendido el fuego y las llamas empezaban a lamer los troncos gruesos y las ramas cortadas. Ayer. Era sólo ayer, ¿no?, que ella y Michael habían estado rastrillando el patio de delante.

—Ésta es la última vez que tendremos esta tarea este invierno, Mike —había exclamado ella—. Supongo que ahora ya casi todas las hojas han caído.

Él asintió seriamente. Luego, sin que ella se lo dijera, recogió las ramas más grandes y los troncos más gruesos de un montón de hojas.

—Éstos son buenos para el fuego —comentó.

Había soltado el rastrillo, que cayó con las puntas de metal hacia arriba. Pero, cuando Missy vino corriendo desde la avenida, el niño dio vuelta rápidamente al rastrillo. Con una media sonrisa de excusa, exclamó:

—Papá siempre dice que es peligroso dejar un rastrillo así.

Siempre protegía a Missy. Era muy bueno. Muy parecido a Ray. Nancy se dio cuenta de que, de alguna manera, hallaba consuelo en saber que Mike estaba con Missy. Si había algún modo de hacerlo, él la cuidaría. Era una criatura de muchos recursos. Si ahora se hallaban a la intemperie en algún lugar, se aseguraría de que la chaqueta de Missy estuviese bien abrochada. Trataría de cubrirla. Él...

—¡Oh, Dios mío!

No supo que había hablado en voz alta hasta que Ray la miró sobresaltado. Sentado en el gran sillón, su rostro aparecía tenso. Parecía saber que ella no quería que la tocase ahora..., que necesitaba asimilar y valorar. No debía creer que los niños estaban muertos. Podían no estar muertos. Pero debían encontrarlos antes de que sucediese nada.

Dorothy también la estaba observando. Dorothy, que de súbito parecía más vieja y como desorientada. Ella había aceptado el afecto y el amor de Dorothy sin dar nada a cambio. Había mantenido a Dorothy a cierta distancia, dejándole ver claramente que no debía introducirse en su cerrado círculo familiar. No quería que los niños tuvieran una sustituta de la abuela. No quería que nadie ocupase el lugar de su madre.

«He sido egoísta —pensó Nancy—. No he visto que ella los necesitaba.» ¡Qué raro que eso resultara tan claro ahora! ¡Qué extraño pensar en esto ahora que estaban sentados aquí, desvalidos, impotentes! Entonces, ¿qué la tranquilizaba? ¿Por qué sentía un minúsculo resplandor de esperanza? ¿Cuál era la fuente de su alivio?

—Rob Legler —dijo—. Os dije que vi a Rob Legler en el lago esta mañana.

—Sí —dijo Ray.

—¿Es posible que estuviera soñando? ¿Cree el doctor que le vi..., que dije la verdad?

Ray reflexionó, luego decidió ser franco. Había una fuerza en Nancy, una inmediatez que no toleraría la evasiva.

—Creo que el doctor piensa que diste cuenta exacta de lo que sucedió. Y, Nancy, debes saberlo: Rob Legler fue visto con toda certeza cerca de aquí anoche y esta mañana.

—Rob Legler no haría daño a los niños. —La voz de Nancy era natural, llanamente afirmativa. Mostraba alivio—. Si él se los hubiese llevado, si fuese el responsable, no los dañaría. Lo sé.

Lendon volvió a entrar en la sala con Jonathan tras él. Éste se dio cuenta de que, inadvertidamente, buscaba primero con la vista a Dorothy. Las manos de ésta estaban hundidas en sus bolsillos. Sospechó que apretaba los puños. Siempre le había impresionado como persona de gran eficiencia, que se bastaba a sí misma..., rasgos que admiraba sin encontrarlos necesariamente atractivos en una mujer.

Cuando Jonathan era franco consigo mismo, comprendía que una parte esencial de sus relaciones con Emily había sido su constante percepción de la necesidad que tenía ella de él. Nunca podía destapar un bote ni encontrar las llaves del coche, ni hacer el balance de sus cuentas. Él se había quedado en su papel de hombre que arregla, hace y resuelve, indulgente, capaz, constante. Necesitó los últimos dos años para empezar a comprender el eje acerado de fuerza que había en el fondo de la feminidad de Emily: la manera como aceptó el veredicto del médico, con sólo una mirada de simpatía hacia él; la manera como ni una sola vez reconoció que sufría. Ahora, viendo la muda pero evidente angustia de Dorothy, sintió deseos de consolarla.

Lo distrajo una pregunta de Ray:

—¿Qué fue la llamada telefónica?

—El jefe Coffin salió —dijo Jonathan evasivo.

—Está bien. Nancy sabe que Rob Legler ha sido visto cerca de aquí.

—Por esto salió el jefe. Legler era perseguido y dejó un coche que había robado a tres kilómetros de la ruta 6 A. Pero no se preocupe, no irá lejos a pie con este tiempo.

—¿Cómo se siente, Nancy?

Lendon la observó con atención. Estaba más tranquila de lo que él esperaba.

—Estoy bien. Hablé mucho de Carl, ¿verdad?

—Sí.

—Había algo que trataba de recordar; algo importante que quería decirle a usted.

Lendon mantuvo la voz natural.

—Varias veces dijo: «No creo..., no creo...» ¿Sabe usted por qué decía esto?

Nancy sacudió la cabeza.

—No. —Se levantó y fue, inquieta, hacia la ventana—. Está muy oscuro; sería difícil encontrar algo o a alguien ahora.

Le convenía moverse. Quería tratar de aclararse la cabeza y ser capaz de pensar. Miró hacia abajo y se dio cuenta por primera vez de que llevaba aún la esponjosa bata de lana.

—Voy a cambiarme —dijo—. Quiero vestirme.

—¿Quieres...? —Dorothy se mordió el labio. Había estado a punto de preguntar a Nancy si quería que subiese con ella.

—Estaré bien —dijo Nancy amablemente.

Encontrarían a Rob Legler. Estaba segura de ello. Cuando le encontrasen, quería estar vestida. Quería ir a verle dondequiera que le llevasen. Quería decir: «Rob, yo sé que no harías daño a los niños. ¿Quieres dinero? ¿Qué necesitas? Dime dónde están y te daremos lo que sea.»

Arriba, en el armario, se quitó la bata. Mecánicamente, se acercó al armario y la colgó. Por un instante se sintió aturdida y apretó la frente contra la frialdad de la pared. La puerta del dormitorio se abrió y oyó que Ray gritaba:

—¡Nancy!

Había sobresalto en su voz mientras corría hacia ella, la hacía volverse y la rodeaba con sus brazos. Ella sintió la áspera tibieza de su camisa deportiva contra su piel y la creciente intensidad de su apretón.

—Estoy bien —dijo Nancy—. De veras...

—¡Nancy!

Le levantó la cabeza. Su boca se apretó contra la de ella. Nancy, mientras sus labios se entreabrían, arqueó el cuerpo contra el de Ray.

Había sido así desde el principio. Desde aquella primera noche, cuando él vino a cenar y después pasearon hasta el lago. Hacía frío y ella se estremeció. Él llevaba el abrigo desabrochado y se rió y la atrajo contra sí, envolviéndola con el abrigo de modo que los cubría a ambos. Cuando la besó aquella primera vez, fue inevitable. Ella lo había deseado tanto, desde el principio. No como a Carl... Pobre Carl... Ella sólo lo había tolerado; se sentía culpable por no desearlo y, después de nacida Lisa, él nunca volvió a ser... como un marido... ¿Había notado la repulsión que sentía Nancy? Siempre se lo preguntaba a sí misma. Esto formaba parte de su sentimiento de culpa.

—Te amo.

No sabía que lo había dicho... Palabras pronunciadas con tanta frecuencia, palabras que murmuraba a Ray incluso dormida.

—Yo también te amo, Nancy. Ha de haber sido tan penoso para ti. Creí que comprendía, pero no...

—Ray, ¿volveremos a tener a los niños?

Su voz se quebró y sintió temblar todo su cuerpo. Él estrechó el abrazo.

—No lo sé, querida. No lo sé. Pero recuerda esto: pase lo que pase, nos tenemos el uno al otro. Nada puede cambiar eso. Acaban de venir a buscar al jefe. Tienen a Rob Regler en la comisaría. El doctor Miles se fue con ellos y Jonathan y yo iremos también.

—Quiero ir. Quizá me diga...

—No. Jonathan tiene una idea y creo que resultará. Tenemos que averiguar. Quizá Rob tiene un cómplice que retiene a los niños. Si te ve, puede negarse a hablar, especialmente si la otra vez estuvo implicado.

—Ray... —Nancy oyó la desesperación en su propia voz.

—Querida, quédate. Sólo un rato más. Toma una ducha caliente y vístete. Dorothy se quedará contigo. Te está preparando un bocadillo. Volveré tan pronto como pueda.

Hundió un instante los labios en el pelo de Nancy; luego se fue.

Mecánicamente, Nancy entró en el cuarto de baño frente al dormitorio. Abrió el agua de la ducha y luego se miró en el espejo del lavabo. La cara que vio mirándola estaba pálida y alargada; los ojos, pesados y turbios. Era el aspecto que tuvo durante todos aquellos años con Carl, como el de sus fotografías en aquel artículo.

Volvió la espalda rápidamente y, después de recogerse el pelo, se metió bajo la ducha. El cálido chorro le azotó el cuerpo en un constante asalto contra la rígida tensión de sus músculos. Fue agradable. Levantó agradecida la cara hacia el chorro. Una ducha le hace a una sentirse tan limpia...

Nunca, nunca más tomó un baño en la bañera... desde los años con Carl. Ya no pensaba en aquellos baños. Una vívida reminiscencia vino a ella mientras el agua caía sobre su rostro. La bañera... La insistencia de Carl en bañarla..., la manera como la tocaba y examinaba. Una vez, cuando ella trató de alejarlo empujándole, él resbaló y su cara fue a parar dentro del agua. Se sobresaltó tanto, que por un momento no pudo levantarse. Cuando lo logró, empezó a escupir, a temblar y toser. Se puso furioso..., pero más que nada asustado.

Le aterrorizó hallarse con la cara cubierta por el agua.

Era eso. Eso era lo que había tratado de recordar: aquel secreto miedo al agua...

¡Dios mío! Nancy se tambaleó contra la pared de la ducha. Sintió náuseas en el estómago y en la garganta, salió de la ducha y empezó a balancearse incontrolablemente.

Pasaron unos minutos. Se agarraba a los costados del lavabo, incapaz de contener las violentas olas del mareo. Luego, aun cuando dejó finalmente de vomitar, siguieron recorriendo su cuerpo helados estremecimientos.

29

—Ray, no cuente con mucho —le advirtió Jonathan.

Ray no le hizo caso. A través del azotado cristal, pudo ver la comisaría. El resplandor de las lámparas de gas le daba el aspecto de ser de otro siglo. Aparcando rápidamente el coche, Ray abrió la puerta y echó a correr por el asfalto hasta llegar a la comisaría. Atrás podía oír a Jonathan jadeando mientras trataba de seguirle.

El sargento del mostrador se mostró sorprendido.

—No esperaba verle a usted aquí esta noche, señor Eldredge. De veras siento mucho lo de los niños...

Ray asintió con impaciencia.

—¿Dónde están interrogando a Rob Legler?

El sargento pareció alarmado.

—Usted no puede tener nada que ver con esto, señor Eldredge.

—¡Diablos, si puedo! —exclamó Ray—. Vaya y dígale al jefe que tengo que verlo ahora.

La protesta del sargento se extinguió en sus labios. Se volvió hacia un policía que venía por el corredor.

—Diga al jefe que Ray Eldredge quiere verlo —ordenó.

Ray se volvió hacia Jonathan. Con la huella de una débil sonrisa, dijo:

—De pronto, esto me parece una idea loca, asida por los pelos.

—No lo es —replicó tranquilamente Jonathan.

Ray miró a su alrededor y se dio cuenta, por primera vez, de que dos personas estaban sentadas en un banquito cerca de la puerta. Eran más o menos de su edad y de la de Nancy: una pareja de aspecto agradable. Se preguntó, abstraído, qué estarían haciendo aquí. El hombre parecía confuso; la mujer, decidida. ¿Qué podía hacer salir a alguien en una noche como aquélla? ¿Sería posible que hubiesen peleado y ella quisiera denunciarle? La idea era divertida. En algún lugar fuera de este local, fuera de todo este día increíble, la gente estaba en sus casas, en familia; cociendo la cena a la luz de las velas, diciendo a los niños que no se asustaran de la oscuridad, haciendo el amor... peleando...

Se dio cuenta de que la mujer le miraba y que empezaba a levantarse, pero el marido tiró de ella. Rápidamente, Ray le volvió la espalda. La última cosa en el mundo que quería o necesitaba era simpatía.

Se oyeron pasos apresurados en el corredor. El jefe Coffin se precipitó en la estancia.

—¿Qué pasa, Ray? ¿Ha oído usted algo?

Jonathan contestó:

—¿Tienen a Rob Legler aquí?

—Sí. Estamos interrogándolo. El doctor Miles está conmigo. Legler pide un abogado. No quiere contestar a ninguna pregunta.

—Es lo que pensé. Por eso estamos aquí.

En voz baja, Jonathan describió su plan. El jefe Coffin sacudió la cabeza.

—No funcionará. Este tipo es frío. No hay manera de hacer que confiese haber estado en la casa de Eldredge esta mañana.

—Bueno, déjenos probar. ¿No ve usted lo importante que es el tiempo? Si tiene un cómplice que ahora mantiene a los niños en su poder, éste puede ser presa del pánico. ¡Dios sabe lo que podría hacer!

—Bueno..., entren. Háblenle. Pero no cuenten con nada.

Con un movimiento de cabeza, el jefe indicó una sala a la mitad del corredor. Mientras Ray y Jonathan empezaban a seguirle, la mujer se levantó del banco.

—Jefe Coffin —su voz vacilaba—, ¿podría hablar con usted sólo un minuto?

El jefe la miró estimativamente.

—¿Es importante?

—Bueno, probablemente no. Pero no podría tener paz a menos que... Es algo que mi hijo...

El jefe perdió interés visiblemente.

—Siéntese, por favor, señora. Volveré tan pronto como pueda.

Ellen Keeney se dejó caer en el banco mientras

veía salir a los tres hombres. El sargento del mostrador notó su decepción.

—¿Está usted segura de que yo no puedo ayudarla, señora? —preguntó.

Pero Ellen no confiaba en el sargento. Cuando ella y Pat entraron, trataron de decirle que pensaba que su niño podía saber algo sobre el caso Eldredge. El sargento mostró una expresión apenada.

—Señora, ¿sabe usted cuántas llamadas hemos recibido hoy? Desde que los servicios telegráficos se apoderaron de esto, no hemos tenido más que llamadas. Un chiflado de Tucson telefoneó para decir que creía haber visto a los niños esta mañana en un terreno de juegos frente a la casa donde tiene su apartamento. No hay manera de que pudiesen haber llegado allí, ni siquiera en un avión supersónico. Por lo tanto, tome asiento. El jefe hablará con usted cuando pueda.

Pat dijo:

—Ellen, creo que deberíamos irnos a casa. Aquí no hacemos más que estorbar.

Ellen sacudió la cabeza. Abrió su cartera y sacó la nota que el desconocido dio a Neil cuando mandó recoger la correspondencia. Había pegado la nota junto a sus propias anotaciones sobre todo lo que Neil le dijo. Sabía la hora exacta en que el niño fue a recoger la carta. Había anotado cuidadosamente su descripción del hombre; sus palabras exactas cuando dijo que el hombre se parecía a la fotografía, emitida por la televisión, del primer marido de Nancy Harmon; la clase de coche que el hombre conducía... «una furgoneta vieja de ceras, igual que la de Cramp...», lo cual podía significar un Ford. Por fin, Neil dijo que el hombre tenía un permiso de pesca de Adams Port pegado en el parabrisas.

Ellen estaba decidida a permanecer sentada allí hasta tener la oportunidad de contar su historia. Pat parecía estar cansado. Ella le acarició la mano.

—Ten paciencia, querido —susurró—. Quizá no signifique nada, pero hay algo que me obliga a esperar. El jefe dijo que pronto hablaría conmigo.

La puerta de la comisaría se abrió. Entró una pareja de mediana edad. El hombre parecía completamente fastidiado; la mujer, visiblemente nerviosa. El sargento del mostrador los saludó:

—Hola, señor Wiggins... Señora Wiggins. ¿Algo anda mal?

—Es increíble —soltó Wiggins—. En una noche como ésta, mi mujer quiere informar de que esta mañana alguien hurtó de la tienda un bote de talco para niños.

—¿Talco para niños?

La voz del sargento se alzó asombrada. La señora Wiggins pareció más inquieta aún.

—No me importa que parezca un estúpido. Quiero ver al jefe Coffin.

—Saldrá pronto. Esas personas también le esperan. Siéntese, ¿quieren? —Indicó el banco que formaba ángulo recto con aquél donde estaban esperando los Keeney.

Fueron hacia allá y, mientras se sentaban, el marido musitó con enojo:

—Todavía no sé por qué estamos aquí.

La fácil benevolencia de Ellen la obligó a volverse hacia la recién llegada pareja. Pensó que quizá la conversación con alguien ayudaría a la otra mujer a dominar su nerviosismo.

—Nosotros tampoco sabemos realmente por qué estamos aquí —dijo—. Pero ¿no es una cosa terrible lo de esos niños desaparecidos...?

A quince metros de distancia, en el despacho que daba al corredor, Rob Legler miraba a Ray Eldredge con ojos entornados y hostiles. El tipo tenía clase, decidió. Indudablemente, esta vez Nancy lo había hecho mucho mejor. Aquel Carl Harmon era algo que repelía. El miedo retorcía el estómago de Rob. Los niños Eldredge no habían sido encontrados. Si les había sucedido algo, podrían tratar de acusarle de algo. Pero nadie le había visto cerca de la casa de Eldredge... nadie, excepto aquel gordo desmañado que iba en la furgoneta. ¿Y si ese tipo fuese uno de esos que hacen entregas a domicilio, o algo así, y hubiese llamado a la policía? Supongamos que pudiese identificar a Rob y afirmar que se encontraba cerca de la casa de Eldredge esta mañana. ¿Qué excusa daría por haber estado allí? Nadie creería que se había introducido furtivamente en el país sólo para decir «hola» a Nancy.

Mentalmente, Rob buscaba una historia. No hallaba ninguna que tuviese sentido. Simplemente, mantendría la boca cerrada hasta contar con un abogado... y quizá también después. El tipo más viejo le estaba hablando:

—Se encuentra usted en una situación muy seria —decía Jonathan—. Es un desertor que ha sido detenido. ¿Le recordaré el castigo que prescribe la ley para los desertores? Su situación es mucho más grave que la de un hombre que se va del país para evitar ser movilizado. Usted era miembro de las Fuerzas Armadas. Independientemente de lo que haya sucedido a los niños Eldredge, o de lo culpable o inocente que sea usted en cuanto a su desaparición, ahora tiene la perspectiva de pasar en la cárcel la mayor parte de los próximos diez o veinte años.

—Ya veremos —murmuró Rob.

Pero sabía que Jonathan tenía razón. ¡Cristo!

—Pero, naturalmente, ni siquiera una acusación como desertor es tan grave, ni mucho menos, como una acusación de asesinato...

—Nunca asesiné a nadie —exclamó Rob saltando de la silla.

—Siéntese —ordenó el jefe Coffin.

Ray se puso de pie y se inclinó sobre la mesa hasta que sus ojos estuvieron al nivel de los de Rob.

—Voy a hablarte claro —dijo llanamente—. Pienso que eres un hijo de perra. Por dos céntimos te mataría yo mismo. Tu declaración casi llevó a mi esposa a la cámara de gas siete años atrás, y ahora mismo puedes saber algo que quizá salvaría las vidas de mis hijos, si no es ya demasiado tarde. Ahora escucha, golfo, y escucha bien. Mi esposa no cree que tú pudieses o quisieses dañar a los niños. Sucede que yo respeto su creencia. Pero ella te vio allí esta mañana. Esto significa, pues, que debes saber algo de lo que pasó. Tratar de escabullirte y decir que no estuviste nunca en nuestra casa, no te servirá de nada. Probaremos que estuviste allí. Pero, si te avienes con nosotros ahora y recobramos a nuestros niños, no haremos ninguna denuncia por secuestro. Y el señor Knowles, que es por cierto uno de los más eminentes abogados del país, será tu abogado para hacer que obtengas la sentencia más leve posible por tu deserción. Tiene empuje... Mucho. Ahora, ¿qué hay, basura? ¿Aceptas el trato? —Las venas sobresalían en la frente de Ray. Avanzó más hasta que sus ojos estuvieron a pocos centímetros de los de Rob—. Porque, si no aceptas... y si sabes algo... y descubro que pudiste habernos ayudado a recobrar a nuestros niños y no lo hiciste... no me importarán los años de cárcel que te echen... Te encontraré y te mataré. Sólo recuerda esto, bastardo hediondo.

—Ray. —Jonathan tiró de él con fuerza.

Rob miraba a uno y a otro: el jefe... el doctor... Ray Eldredge... ese Knowles, el abogado. Si reconocía haber estado en la casa de Eldredge... Pero, ¿qué sacaría con no reconocerlo? Había un testigo. Su instinto le aconsejó aceptar la oferta que le habían hecho. Por lo menos, aceptándola, tendría alguna compensación en el asunto de su deserción. Se encogió de hombros y miró a Jonathan.

—Usted me defenderá.

—Sí.

—No quiero ninguna acusación de rapto de niños.

—Nadie trata de hacértela —dijo Jonathan—. Queremos la verdad..., la simple verdad, como sabes. Y no habrá trato a menos que la obtengamos ahora.

Rob se inclinó hacia adelante. Evitó mirar a Ray.

—Está bien —dijo—. Así es como empezó. Mi compañero, allá en Canadá...

Escucharon atentamente mientras hablaba.

Sólo ocasionalmente el jefe o Jonathan hacían una pregunta, Rob eligió con cuidado las palabras cuando dijo que venía a pedir dinero a Nancy.

—Miren, nunca creí que ella hubiese tocado ni un cabello de aquellos niños Harmon. No era el tipo. Pero me llegó el aviso de que trataban de colgarme a mí lo del secuestro y sería mejor que me limitase a contestar las preguntas y me guardase mis opiniones. Me sentí algo apenado por ella: era una criatura asustada en un gran lío, a mi modo de ver.

—Un lío que era tu responsabilidad directa —dijo Ray.

—Cállese, Ray —replicó el jefe Coffin—. Vayamos a esta mañana —ordenó a Rob—. ¿Cuándo llegó usted a la casa de Eldredge?

—Serían un par de minutos antes de las diez —dijo Rob—. Conducía muy lentamente, buscando aquel camino de tierra del que mi amigo me había hecho un croquis... y entonces me di cuenta de lo que había pasado.

—¿Cómo se dio cuenta de lo que había pasado?

—Bueno, ese otro coche... Tuve que frenar por él... Entonces comprendí que el coche había salido de aquel camino; por lo tanto, retrocedí.

—¿Otro coche? —repitió Ray—. ¿*Qué* otro coche?

La puerta del despacho se abrió de pronto. El sargento entró precipitadamente.

—Jefe, creo que es realmente importante que hable usted con los Wiggins y con aquella otra pareja. Creo que tienen algo verdaderamente importante que decirle.

30

Finalmente, Nancy fue capaz de levantarse, lavarse la cara y enjuagarse la boca. No debía dejarles ver que había estado mareada. No debía hablar de ello. Pensarían que estaba loca. No lo creerían o no lo comprenderían. Pero, si lo increíble fuese posible... Los niños. ¡Dios mío, no otra vez, no así; por favor, no otra vez!

Corrió al dormitorio y sacó ropa interior de un cajón, pantalones y un jersey grueso del armario. Tenía que ir a la comisaría. Tenía que ver a Rob, decirle lo que creía, rogarle que dijese la verdad. ¿Qué importaba si todo el mundo creía que estaba loca?

A la velocidad del rayo, se vistió, metió los pies en unos zapatos deportivos, ató los cordones con dedos temblorosos y bajó corriendo. Dorothy estaba esperándola en el comedor. La mesa estaba puesta, con bocadillos y una tetera.

—Nancy, siéntate... Por lo menos trata de comer algo...

Nancy la interrumpió:

—Tengo que ver a Rob Legler. Necesito preguntarle una cosa.

Apretó los dientes, pues había percibido la histeria en su voz. No debía ponerse histérica. Se volvió hacia Bernie Mills, que estaba junto a la puerta de la cocina.

—Hágame el favor de llamar a la comisaría —le rogó—. Diga al jefe Coffin que insisto en ir... Que esto tiene que ver con los niños.

—¡Nancy! —Dorothy le agarró el brazo—. ¿Qué estás diciendo?

—Que debo ver a Rob, Dorothy; llama a la comisaría. No, lo haré yo.

Nancy corrió al teléfono. Iba a cogerlo, cuando sóno el timbre. Bernie Mills se abalanzó para descolgarlo, pero ella se le adelantó.

—¿Diga? —Su voz era rápida e impaciente.

Lo oyó. Tan bajo, que era un susurro. Tuvo que esforzarse para entender sus palabras.

—Mamá, mamá; por favor, ven a buscarme. Ayúdanos, mamá. Missy está enferma. Ven y recógenos...

—¡Michael... Michael!... —chilló—. Michael, ¿dónde estáis? ¡Dime dónde estáis!

—Estamos dentro... —Luego su voz se desvaneció y la línea quedó muerta.

Frenéticamente, sacudió el teléfono.

—Telefonista —chilló—, ¡no corte la comunicación! Telefonista...

Pero era demasiado tarde. Un instante después, un tono monótono zumbó en su oído.

—Nancy, ¿qué es? ¿Quién era? —Dorothy estaba a su lado.

—Era Michael. Michael telefoneó. Dijo que Missy está enferma. —Nancy vio la duda en el rostro de Dorothy—. ¡Por el amor de Dios! ¿No comprendes? ¡Era Michael!

Frenética, descolgó el teléfono; luego marcó el número de la central y, cuando la telefonista contestó, interrumpió su formalista oferta de ayuda.

—¿Puede usted informarme sobre la llamada que acabo de recibir? ¿Quién la hizo? ¿De dónde venía?

—Lo siento, señora. No tenemos manera de saber esto. Precisamente tenemos, en general, muchos problemas. La mayoría de los teléfonos de la población no funcionan a causa de la tempestad. ¿Cuál es su problema?

—Tengo que saber de dónde vino la llamada. Tengo que saberlo.

—No hay manera de poder localizar la llamada una vez se ha cortado la comunicación, señora.

Aturdida, Nancy colgó el teléfono.

—Alguien puede haber cortado la comunicación —dijo—. Quienquiera que tenga a los niños.

—Nancy, ¿estás segura?

—Señora Eldredge, usted está impresionada y trastornada.

Bernie Mills trató de hacer que su voz fuera tranquilizante. Nancy no le hizo caso.

—Dorothy, Michael dijo: «Estamos dentro...» Sabe dónde está. No puede estar lejos. ¿No comprende esto? Y dice que Missy está enferma.

Como viniendo de la lejanía, estaba oyendo otra cosa. Lisa está enferma... No se siente bien. Había dicho esto a Carl hacía mucho tiempo.

—¿Cuál es el número de la comisaría? —preguntó a Bernie Mills.

Rechazó las oleadas de debilidad, que eran como masas de niebla dentro de su cabeza. Sería tan fácil acostarse..., perder la conciencia... En este momento alguien estaba con Michael y Missy..., alguien que les causaba daño... Quizá les estaba haciendo lo mismo que había sucedido antes. No..., no... Tenía que encontrarlos... No debía desmayarse... Tenía que encontrarlos.

Se asió al borde de la mesa para sostenerse. Dijo con calma:

—Podéis pensar que estoy histérica, pero os digo que era la voz de mi hijo. ¿Cuál es el número de la comisaría?

—Llame al KL cinco tres ochocientos —dijo Bernie, reacio.

«Está realmente chiflada», pensó. Y el jefe pediría la cabeza de Bernie por no haber ido al teléfono. Ella imaginó que era el niño..., pero podía haber sido cualquiera o incluso un chiflado.

El teléfono sonó una vez. Una voz crispada dijo:

—Comisaría de policía de Adams Port. El sargento... al habla.

Nancy empezó a decir:

—Jefe Coffin. —Y comprendió inmediatamente que estaba hablando al vacío. Impacientemente, sacudió el teléfono—. Está mudo —dijo—. El teléfono está mudo.

Bernie Mills se lo quitó.

—Está mudo, sí. No me sorprende. Probablemente a estas horas la mitad de las casas están sin teléfono. ¡Con esta tempestad!

—Lléveme a la comisaría de policía. No, vaya usted. Si el teléfono vuelve a funcionar, Michael puede llamar otra vez... Por favor, vaya a la comisaría; o quizá, ¿hay alguien fuera?

—No lo creo. El camión de la televisión fue también a la comisaría.

—Entonces vaya usted. Nosotros nos quedaremos aquí. Dígales que Michael telefoneó. Dígales que traigan a Rob Legler. Tenemos que esperar.

—No puedo dejarla a usted.

—Nancy, ¿estás segura de que era Michael?

—Estoy segura. Dorothy, por favor, créeme. Estoy segura. Era Michael. Lo era. Oficial, por favor. ¿Está lejos la comisaria, en su coche...?

—Cinco minutos.

—Estará usted fuera diez minutos en total. Pero haga que traigan aquí a Rob Legler, por favor.

Bernie Mills reflexionó. El jefe le había dicho que estuviera allí. Pero no funcionando el teléfono, no habría mensajes. Si se llevara a Nancy con él, al jefe quizá no le gustaría. Si iba y volvía enseguida, habría estado ausente en total diez minutos, y si fuese de veras el niño quien telefoneó y él no informaba de ello...

Pensó en pedir a Dorothy que fuese a la comisaría, pero desechó la idea. Las carreteras estaban demasiado heladas. Se la veía tan trastonada, que era muy probable que estrellase el coche.

—Iré —dijo—. Quédense aquí.

No se tomó el tiempo de buscar su abrigo, sino

que corrió por la puerta trasera hacia el coche patrulla.

Nancy exclamó:

—Dorothy, Michael sabía dónde estaba. Dijo: «Estamos dentro...» ¿Qué significa esto para ti? Si estás en una calle o en la carretera, dices: «estamos *en* la carretera 6 A», o «estamos *en* la playa», o «estamos *en* una barca»; pero si estás en una casa o una tienda, sabes que dirás: «estamos *dentro* del despacho de papá». ¿Ves lo que quiero decir? ¡Oh, Dorothy, debe de haber alguna manera de saberlo! Voy repasando las cosas. Tiene que haber algo..., algún modo de saber.

»Y dice que Missy está enferma. Estuve a punto de no dejarla salir esta mañana. Pensé en ello. Pensé en ello. ¿Hacía demasiado frío? ¿Demasiado viento? Detesto pensar que estén enfermos, pero también mimarlos para que no lo estén, y ahora sé por qué. Es a causa de Carl y la manera como los observaba... y me observaba a mí. Él estaba enfermo. Ahora lo sé. Y por eso dejé salir a Missy. Hacía un tiempo húmedo y demasiado frío para ella. Pero lo estuve meditando media hora. Y era a causa de aquello. Y le puse los guantes rojos, los de las caras sonrientes, y le dije que no se olvidara de llevarlos puestos, que hacía mucho frío. Recuerdo haber pensado que tenía otro par, que podría cambiárselos. Un par a juego. Pero perdió uno de ellos junto al columpio. ¡Dios mío, Dorothy, si no les hubiese dejado salir! Si les hubiese ordenado que se quedaran dentro, porque ella no estaba muy bien... Pero no quiero pensar en esto... Dorothy...

Nancy giró sobre sí misma al oír el grito ahogado de Dorothy. El rostro de ésta estaba convulso.

—¿Qué dices? —preguntó—. ¿Qué dijiste... de los guantes?

—No lo sé.

—¿Quieres decir... que perdió uno... y que hacían juego? Dorothy, ¿qué quieres decir...? ¿Qué sabes?

Con un sollozo, Dorothy se cubrió el rostro con las manos.

—Sé dónde están. ¡Oh, Dios mío! Sé... Y fui tan estúpida. ¡Oh, Nancy!, ¿qué he hecho? ¡Oh!, ¿qué he hecho? —Metió la mano en su bolsillo y sacó el guante—. Estaba allí..., esta tarde, en el suelo del garaje... y pensé que yo lo había hecho caer con mi pie. Y aquel hombre terrible... Sabía que había algo en él; la manera como olía, un olor tan ácido... tan malo... Y los polvos de talco. ¡Oh, Dios mío!

Nancy cogió el guante.

—Dorothy, por favor, ayúdame. ¿Dónde encontraste este guante?

Dorothy se dejó caer sin fuerzas.

—En El Mirador, cuando lo estaba enseñando hoy.

—El Mirador... Donde vive ese Parrish. No creo haberle visto nunca, excepto a distancia. ¡Oh, no! —En un instante de total claridad, Nancy vio la verdad y comprendió que podría ser demasiado tarde—. Dorothy, voy a El Mirador. *Ahora...* Los niños están allí. Quizá llegue a tiempo. Tú vas por Ray y la policía. Diles que vayan. ¿Podré entrar en la casa?

El temblor de Dorothy cesó. Su voz fue tan serena como la de Nancy. Más tarde..., más tarde, por el resto de su vida..., podría permitirse acusarse a sí misma..., pero no en este momento.

—La puerta de la cocina tiene un cerrojo. Si lo cerró, no podrás entrar. Pero la puerta principal, la del lado de la bahía..., nunca la usa. Nunca le di la llave. Ésta abrirá los dos cerrojos. —Buscó en su bolsillo y sacó un manojo de llaves—. Ésta.

No discutió la decisión de Nancy de ir sola. Las dos mujeres corrieron juntas por la puerta trasera hacia los coches. Dorothy dejó que Nancy saliera primero. Retuvo el aliento cuando el coche de Nancy se desvió, resbaló y luego se enderezó.

Era casi imposible ver. La cellisca había formado una gruesa capa de hielo sobre el cristal. Nancy abrió la ventana de su lado. Mirando por ella, entreabriendo los ojos contra la cellisca, corrió velozmente por el camino, atravesó la ruta 6 A y bajó por la calle que conducía al cruce del camino a El Mirador.

Cuando inició la subida por la cuesta serpenteante, el coche empezó a resbalar. Apretó el pedal y las ruedas delanteras resbalaron, desviando el coche sobre el suelo helado. Nancy frenó y el coche se cruzó. Trató de enderezarlo, pero demasiado tarde. Enfrente se alzaba un árbol. Logró de un tirón dar vuelta al volante en un semicírculo. El extremo delantero del coche fue hacia la derecha y, con un estallido crujiente, chocó contra el árbol.

Nancy fue arrojada hacia adelante y luego hacia atrás. Las ruedas giraban todavía cuando abrió la puerta de su lado y salió al azote de la cellisca.

No se había puesto abrigo, pero casi no sintió que la tempestad le atravesaba jersey y pantalones mientras trataba de correr cuesta arriba.

Cerca de la avenida resbaló y cayó. Sin hacer caso del agudo dolor en su rodilla, corrió hacia la casa. «Que no llegue tarde. Por favor, que no llegue tarde.» Como en nubes que se deshicieran ante su vista, se veía a sí misma mirando a Lisa y a Peter en la playa... Sus caras blancas e hinchadas por el agua..., los pedazos de bolsa de plástico todavía pegados a ellas. «¡Por favor!», rogó. «¡Por favor!»

Llegó a la casa y se apoyó en la pared mientras daba la vuelta corriendo hacia la puerta principal. La llave, en su mano, estaba mojada y fría. La apretó con fuerza. La casa estaba completamente a oscuras excepto en el último piso, donde pudo ver una luz acercarse a través de la sombra a una de las ventanas. Mientras daba la vuelta a la casa, oía el estruendo de las olas que en la bahía se estrellaban contra la costa rocosa. No había playa..., sólo montones de rocas. La playa estaba más lejos, a la izquierda.

No se había dado cuenta de que esta casa fuese tan alta. Probablemente se podía ver toda la población desde las ventanas de atrás.

Respiraba en un profundo jadeo sollozante. Nancy sintió su corazón latir con fuerza. No podía respirar después de haber corrido contra el viento. Sus dedos, entumecidos, manejaron la llave. «Que abra, por favor, que abra.» Sintió una resistencia cuando el cerrojo oxidado se agarró a la llave; luego cedió y, finalmente, la llave dio vuelta, y Nancy empujó la puerta abriéndola.

La casa estaba oscura..., terriblemente oscura. No podía ver. Había un olor a moho y un gran silencio. La luz había venido del último piso. Allí era donde estaba el apartamento. Tendría que encontrar la escalera. Resistió al impulso de gritar el nombre de Michael.

Dorothy había dicho algo acerca de dos escaleras en el vestíbulo, pasada la gran sala de entrada. Ésta era la sala. Vacilando, Nancy empezó a avanzar. En la negra oscuridad, tendía las manos hacia adelante. No debía hacer ruido; no debía dar aviso. Tropezó, cayó y se sostuvo agarrándose a algo. Era el brazo de un sofá o un sillón. Le dio la vuelta tanteando. Si al menos tuviera cerillas. Se esforzó por escuchar... ¿Había oído algo..., un grito..., o era sólo el viento que aullaba de aquella manera en la chimenea?

Tenía que subir..., tenía que encontrar la escalera. ¿Y si no estuviesen ahí...? ¿Y si llegase demasiado tarde...? ¿Y si fuese como la otra vez...? ¿Con aquellas caritas tan inmóviles, tan deformadas...? Habían confiado en ella. Lisa se agarró a ella aquella última mañana. «Papá me hizo daño», fue todo lo que dijo. Nancy estaba segura de que Carl la había zurrado por orinarse en la cama... Se maldijo a sí misma por haber estado demasiado cansada para despertarse. No se atrevió a criticar a Carl... pero, cuando hizo la cama, ésta no estaba mojada; por lo tanto, Lisa no se había orinado en la cama. Podía haber dicho esto en el proceso, pero no pudo. No podía pensar, y estaba demasiado cansada... y ya no importaba.

La escalera... Había un poste bajo su brazo...

La escalera... Tres pisos... Anda por el lado... No hagas ruido. Nancy se agachó y se quitó los zapatos. Estaban tan mojados, que se oiría su chapoteo... «Es importante no hacer ruido... Tengo que subir... No debo llegar demasiado tarde... La otra vez fue demasiado tarde... No debería haber dejado a los niños en el coche... Debería haber sabido...»

La escalera crujió bajo su pie. «No debo dejar que me domine el pánico... La otra vez fue el pánico... Quizá la llamada de Michael me dio pánico... La otra vez dijeron que los niños no habían sido arrojados al agua hasta después de muertos... Pero Michael estaba todavía vivo hacía sólo unos minutos... Hacía veinte minutos... y creía que Missy estaba enferma... Quizá estaba enferma... Tengo que llegar a ella...» El primer tramo... «Dormitorios en este piso..., pero ninguna luz, ningún ruido...» Arriba, dos tramos más... En el tercer piso tampoco se oía ningún ruido.

Al pie del último tramo, Nancy se detuvo para calmar su respiración jadeante. Al final de la escalera, la puerta estaba abierta. Podía ver una sombra contra la pared proyectada por un débil y fluctuante resplandor. Y entonces la oyó... Una voz: la voz de Michael.

—¡No haga esto! ¡No haga esto!

Subió corriendo ciegamente, furiosamente. ¡Michael! ¡Missy! Corría sin preocuparse por el ruido, aunque sus gruesos calcetines lo amortiguaban. Su mano, asiéndose a la baranda, era silenciosa. Al final de la escalera vaciló. La luz venía del pasillo. Ligera y en silencio, atravesó corriendo la estancia, la sala probablemente, que estaba en sombras y silenciosa, hacia la luz de la vela en el dormitorio, hacia la gruesa figura que, de espaldas a ella, con una mano sujetaba sobre la cama una figurita que se debatía, mientras con la otra, riéndose por lo bajo, ponía una brillante bolsa de plástico sobre una cabeza rubia.

Nancy vio la imagen de los asustados ojos azules, del pelo rubio de Michael enmarañado sobre su frente, de la manera como el plástico se pegaba a sus párpados y a las ventanas de su nariz, mientras ella gritaba:

—¡Suéltalo, Carl!

No supo que había dicho «Carl» hasta que hubo oído el nombre salir de sus propios labios.

El hombre se volvió. En algún lugar de aquella vulgar masa de carne, pudo ver, acechantes, los ojos que brillaban como dardos. Nancy vio fugazmente el plástico que se pegaba, la figura inerte de Missy yaciendo en la cama, su bufanda al lado, en un montón rojo vivo.

Vio que la estupefacción de su mirada se cambiaba en malicia.

—Tú.

Recordó la voz. La voz que durante siete años había tratado de borrar de su mente. El hombre avanzó hacia ella amenazador. Ella tenía que esquivarlo: Michael no podía respirar.

Él alargó las manos hacia ella. Se apartó sintiendo el duro apretón en su muñeca. Cayeron juntos, torpemente, pesadamente. Sintió que el codo del hombre se hundía en su costado. El dolor la cegaba, pero el apretón se aflojó por un instante. La cara del hombre estaba junto a la suya. Espesas y blancas, las facciones se borraban y se ensanchaban, pero seguía el olor agrio, denso..., el mismo de antes.

A ciegas, se incorporó con toda su fuerza y mordió el grueso, bestial carrillo. Con un aullido de rabia, él golpeó, pero la soltó, y ella se levantó sintiendo la mano que tiraba de ella. Se arrojó sobre la cama y con las uñas desgarró el grueso plástico que hacía que los ojos de Michael se hincharan y sus mejillas se tornaran azuladas. Le oyó respirar jadeando mientras se volvía para hacer frente al nuevo ataque de Carl. Los brazos de éste la apretaron contra él. Sintió el nauseabundo calor de su cuerpo descubierto.

¡Oh, Dios! Con las manos empujó la cara de Carl y sintió que él le doblaba el cuerpo hacia atrás. Mientras trataba de desasirse, pudo sentir el pie de Missy bajo ella, tocándola, moviéndose. Se movía. Missy estaba viva. Lo sabía; podía sentirlo.

Empezó a chillar..., en un ininterrumpido, suplicante grito de socorro, y luego la mano de Carl le cubrió la boca y la nariz, y ella trató en vano de morder la gruesa palma de la mano que la impedía respirar y que corría grandes cortinas negras ante sus ojos.

Estaba hundiéndose en una jadeante inconsciencia cuando de pronto las manos aflojaron su presión. Se ahogaba..., con fuertes estertores... Desde algún lugar, alguien gritaba su nombre. ¡Ray! ¡Era Ray! Trató de gritar, pero no le salió ningún sonido.

Esforzándose por sostenerse sobre un codo, sacudió la cabeza.

—¡Mamá, mamá, está cogiendo a Missy!

La voz de Michael era apremiante, su mano la sacudía.

Logró sentarse cuando Carl se inclinó. El brazo de Carl pasó a su lado y agarró la figurita, que había empezado a agitarse y llorar.

—Déjala, Carl. No la toques.

Su voz ahora era un graznido, pero él la miró fieramente y se volvió. Apretando a Missy contra él, echó a correr con paso torpe. Le oyó, en la oscuridad de la habitación contigua, tropezar con los muebles, y le siguió vacilante, tratando de sacudirse su aturdimiento. Ahora se oían pasos en la escalera..., fuertes pasos que subían corriendo. Desesperadamente, escuchó para oír a Carl, le oyó en el corredor; vio su oscura silueta recortada sobre la ventana. Subía la escalera hacia la buhardilla. Iba a la buhardilla. Le siguió, le alcanzó, intentó agarrarle la pierna. La buhardilla retumbaba, olía a moho, gruesas vigas sostenían su techo bajo. Y estaba oscura. Tan oscura, que era difícil seguir a Carl.

—¡Socorro! —gritó—. ¡Socorro! —Por fin pudo lograr que le saliera la voz—. ¡Aquí arriba, Ray! ¡Aquí arriba!

Seguía ciegamente el ruido de los pasos de Carl. Pero, ¿dónde estaba? La escalera de mano. Estaba subiendo la frágil escalera que llevaba del desván al tejado. El «paseo de la viuda». Iba hacia el «paseo de la viuda». Pensó en el estrecho y peligroso balcón que circundaba la chimenea entre las torrecillas de la casa.

—Carl, no subas allá. Es demasiado peligroso. ¡Carl, vuelve, vuelve!

Podía oír la fuerte respiración del hombre, el agudo sonido entre sollozo y risita. Trató de agarrarle el pie mientras trepaba tras él, pero él la pateó salvajemente cuando sintió su mano. La gruesa suela del zapato le dio contra la frente y Nancy bajó deslizándose por la escalera. Sin hacer caso a la sangre tibia que manaba de su frente y le corría por la cara, sin sentir la fuerza del golpe, empezó a subir otra vez, gritando:

—Carl, dámela. ¡Carl, deténte!

Pero él estaba en la parte superior de la escalera, empujando la puerta que daba al tejado. La cellisca caía espesa cuando la puerta se abrió hacia fuera, crujiendo.

—Carl, no puedes escapar —suplicó—. Carl, te ayudaré. Estás enfermo. Les diré que estás enfermo.

El viento empujó la puerta y la abrió hasta hacerla chocar con estrépito contra la pared de la casa. Missy, ahora, gritaba... Un agudo, aterrorizado grito:

—¡Mammmmmmá!

Carl salió al balcón. Nancy se arrastró tras él sosteniéndose contra el marco de la puerta. Era tan estrecho aquello... Apenas había espacio para una persona entre la baranda y la chimenea.

Se agarró frenéticamente a las ropas de Carl..., tratando de asirle, de apartarlo de la baranda baja. Si caía o dejaba caer a Missy...

—¡Carl, deténte! ¡Deténte!

La cellisca le azotaba. Él se volvió y trató de alcanzarla con otro puntapié, aunque tropezó y se balanceó hacia atrás, apretando a Missy contra él.

Se apoyó en la baranda y recobró el equilibrio. Su risita era ahora un hipo persistente.

El balcón estaba cubierto por una capa de hielo. Sentó a Missy sobre la baranda sosteniéndola con una mano.

—No te acerques más, niña —dijo a Nancy—. Si lo haces, la dejaré caer. Diles que deben dejarme escapar. Diles que no deben tocarme.

—Carl, te ayudaré. Dámela.

—No me ayudarás. Quieres que me hagan daño.

Pasó un pie por encima de la baranda.

—Carl. No. No lo hagas. Carl, odias el agua. No quieres que el agua te cubra la cara. Lo sabes. Por esto yo debería haber sabido que no te habías suicidado. No podrías echarte al agua. Lo sabes, Carl.

Hacía que su voz fuese sosegada, deliberada, tranquilizante. Dio un paso hacia la baranda. Missy alargaba los brazos suplicantes.

Entonces lo oyó... Un ruido crujiente, de rotura. ¡La baranda se rompía! Mientras ella miraba, los postes de madera cedieron bajo el peso de Carl. Su cabeza se inclinó hacia atrás; agitó los brazos hacia adelante.

Cuando él soltó a Missy, Nancy se abalanzó y agarró a su hija. Sus manos se aferraron al largo cabello de Missy..., se aferraron, retorcieron y sostuvieron. Se balanceaba al borde del balcón; la baranda se derrumbaba. Sintió que Carl le asía la pierna mientras caía, gritando.

Entonces fue arrastrada hacia atrás y unos brazos firmes rodearon su cintura... Unos brazos que la retuvieron y sostuvieron. Una mano fuerte apretó la cabeza de Missy contra su cuello, tiró de las dos hacia atrás y Nancy se desplomó contra Ray en el momento en que, con un último grito desesperado, Carl resbalaba del balcón, se deslizaba por el tejado inclinado y cubierto de hielo y caía hacia las olas que, abajo, se agitaban sobre las rocas.

31

El fuego, hambriento, lamía los gruesos leños. El cálido olor del hogar saturaba la sala y se mezclaba con el aroma del café recién hecho. Los Wiggins habían abierto la tienda, habían traído carnes frías para bocadillos, y ellos y Dorothy habían preparado un festín mientras Nancy y Ray estaban en el hospital con los niños.

Cuando llegaron a casa, Nancy insistió en que se ofreciera comida también al personal de la televisión y a los reporteros, y Jonathan les abrió su casa. Habían filmado la llegada de Nancy y Ray, llevando a los niños desde el coche a su casa, y les prometió a los periodistas una entrevista para el día siguiente.

—Entretanto —dijo Ray ante los micrófonos—, queremos dar las gracias a todos aquellos cuyas oraciones durante este día preservaron de daño a nuestros hijos.

Los Keeney habían vuelto también a la casa,

deseosos de tomar parte en la alegría; temerosos por haber esperado a presentarse con su información; seguros de que solamente la oración había hecho posible el rescate. «Somos todos tan humanos, tan tontos», pensó Ellen. Se estremeció al pensar que su Neil había hablado con aquel hombre loco. ¿Y si él le hubiese pedido a Neil que subiese a su coche aquel día...?

Nancy estaba sentada en el diván, estrechando en su regazo a Missy, tranquilamente dormida. Missy, que olía a Vicks y había sido tranquilizada con leche caliente y aspirinas, apretaba contra su cara la vieja manta a la que llamaba su «cariño» y se acurrucaba contra su madre.

Michael hablaba con Lendon, que le interrogaba amablemente: él lo contaba todo, meditándolo. Su voz, al principio excitada y rápida, estaba más tranquila ahora, incluso algo jactanciosa:

—... y no quise irme de aquella casa sin Missy cuando el hombre bueno empezó a pelear con el otro hombre y me gritó que pidiese socorro. Así que subí corriendo a donde estaba Missy y llamé a mamá por teléfono. Pero entonces el teléfono dejó de funcionar. Y yo traté de llevar a Missy abajo, pero vino el hombre malo...

Los brazos de Ray le rodeaban.

—Buen muchacho. Eres todo un hombre, Mike.

Ray no podía apartar los ojos de Nancy ni de Missy. La cara de Nancy estaba descolorida y magullada, pero tan serenamente hermosa, que a Ray se le hacía un nudo en la garganta.

El jefe Coffin dejó su taza de café y revisó la

declaración que daría a la prensa: «El profesor Carl Harmon, alias Courtney Parrish, fue sacado del agua todavía con vida. Antes de morir pudo hacer una declaración confesándose único culpable del asesinato de sus hijos, Lisa y Peter, siete años atrás. También confesó ser culpable de la muerte de la madre de Nancy Eldredge. Comprendiendo que hubiera impedido su matrimonio con Nancy, descompuso el mecanismo de dirección de su coche mientras ella estaba en el restaurante con su hija. El señor John Kragopoulos, a quien asaltó hoy el profesor Harmon, está en la lista de pacientes graves en el hospital de Cabo Cod y sufre una conmoción, pero se espera que se recuperará. Los niños Eldredge fueron examinados y se comprobó que no habían sufrido abusos sexuales, aunque el niño, Michael, tenía una magulladura en la cara a causa de una violenta bofetada.»

El jefe sintió que la fatiga le llegaba hasta los tuétanos. Haría la declaración y se iría a casa. Delia estaría esperándole, deseando saber todo lo que había sucedido. Éste, pensó, era uno de aquellos días que hacen que el trabajo de policía valga la pena. Se veía tanto sufrimiento en este trabajo... Había veces en que uno debía decir a los padres que su hijo estaba muerto. Los momentos como ese de El Mirador, en que supieron que habían encontrado a los dos niños salvos, tenían que acariciarse.

Mañana. Jed pensó que mañana tendría que juzgar su propia culpabilidad. Esta mañana había prejuzgado a Nancy a causa de su amor propio herido por no haberla reconocido. Al prejuzgarla, no había dejado abierta su mente; había prescindido de lo que Jonathan y Ray y el doctor y la misma Nancy le decían.

Pero al fin condujo el coche que hizo llegar a Ray al balcón del tejado de El Mirador en aquel preciso momento. Nadie más hubiera podido subir aquella colina, con el hielo, tan aprisa. Cuando vieron el coche de Nancy estrellado contra el árbol en la curva de la carretera, Ray quiso detenerse. Pero Jed siguió. Cierto instinto le hacía presentir que Nancy había salido del coche y estaba en la casa. Su presentimiento había sido acertado. Por eso podía defenderse.

Dorothy, en silencio, volvió a llenar la taza de Lendon ante el movimiento de cabeza afirmativo de éste. Michael estaría bien, pensó Lendon. Volvería para verlos otra vez, pronto. Tenía que hablar a los niños y a Nancy... Tratar de ayudarla a ver el pasado tal como era y volverle la espalda luego. Nancy no necesitaría mucha ayuda. Era un milagro que hubiese tenido la fortaleza de sobrevivir a todo lo que le había sucedido. Pero era fuerte y surgiría, de esta última prueba, capaz de contemplar la perspectiva de una vida normal.

Había paz en Lendon. Por fin había compensado su negligencia. Si hubiese ido a ver a Nancy cuando murió Priscilla, todo esto podría haberse evitado. Él se hubiera dado cuenta de que había algo malo en Carl Harmon y de alguna manera la hubiera alejado de él. Pero, entonces, no hubiera llegado a estar aquí ahora con este joven que era su marido. Estos niños no estarían en sus brazos.

Lendon se dio cuenta de cuánto deseaba ahora volver a su casa con Allison.

—¿Café? —Jonathan repitió la pregunta de Dorothy—. Sí, gracias. Generalmente, no lo tomo tan tarde, pero creo que a ninguno de nosotros le costará dormir esta noche. —Miró atentamente a Dorothy—. ¿Y usted? Debe de estar muy cansada.

Observó que una indefinible tristeza cubría el rostro de Dorothy y comprendió la razón de ello.

—Creo que debo decirle —declaró con firmeza— que toda clase de recriminación que se haga a sí misma es inaceptable. Hoy todos nosotros hicimos caso omiso de algún hecho, de tal manera que pudimos haber contribuido al desastre. Uno de los primeros es que todas las mañanas, cuando yo pasaba ante esta casa, me molestaba el reflejo que me hería los ojos. Esta misma mañana pensé en pedir a Ray que hablase al inquilino de El Mirador sobre lo que fuera que tuviese en la ventana. Con mi preparación legal, debería haber recordado eso. Una investigación nos hubiera llevado rápidamente a El Mirador. Y otro hecho irrevocable es que, si usted no se hubiese decidido a cumplir el compromiso y llevar al señor Kragopoulos a aquella casa, Carl Harmon no hubiera sido frenado en su malvado propósito. Su atención no hubiera sido distraída de Missy. Seguramente ha escuchado usted la descripción que ha hecho Michael de lo que sucedió antes de que usted llamase.

Dorothy escuchó, lo consideró y, con toda franqueza, estuvo de acuerdo. Su carga de culpabilidad y remordimiento desapareció; se sintió de pronto aliviada y contenta, capaz de gozar plenamente de la reunión.

—Gracias, Jonathan —murmuró simplemente—, necesitaba oír esto.

Inconscientemente, le estrechó el brazo. Conscientemente, él cubrió la mano de ella con la suya.

—Los caminos están todavía traicioneros —dijo—. Cuando esté dispuesta a irse a casa, me sentiré mejor si yo la llevo.

«Terminó —pensaba Nancy—. Terminó.» Sus brazos se apretaron en torno a su hija dormida. Missy se agitó murmurando:

—Mamá... —Y se sumió de nuevo en su regular y suave respiración.

Nancy miró a Michael. Estaba apoyado en Ray. Nancy les contempló mientras Ray sentaba al niño sobre sus rodillas.

—Empiezas a estar cansado, amigo —dijo Ray—. Creo que sería mejor que vosotros, chicos, os fueseis a la cama. Ha sido un día de cuidado.

Nancy recordó la sensación experimentada cuando esos fuertes brazos la asieron y sostuvieron, evitando que ella y Missy cayeran. Siempre sería así con Ray. Siempre estaría segura. Y hoy ella había visto y sabido, y llegado a tiempo.

Desde el fondo de su ser, una plegaria inundaba su mente y su corazón: «Gracias, gracias, gracias. Nos has librado del mal.»

Se dio cuenta de que la cellisca ya no azotaba las ventanas, de que el gemido del viento se había extinguido.

—Mamá —dijo Michael, con voz adormilada—. Ni siquiera tuvimos la fiesta de tu cumpleaños, y no te compramos un regalo.

—No te preocupes, Mike —dijo Ray—. Celebraremos el cumpleaños de mamá mañana, y ya sé exactamente qué regalos le haremos. —Milagrosamente, la tensión y la fatiga desaparecieron de su expresión, y Nancy vio que le guiñaba un ojo, la miraba directamente—. Hasta te diré lo que será, cariño. Lecciones de dibujo y de pintura de un profesor verdaderamente bueno, de parte de los niños; y, de mi parte, una sesión de tinte en la peluquería.

Se levantó, instaló a Michael en el sillón y se acercó a Nancy. De pie junto a ella, observó con atención la raya de su pelo.

—Tengo el presentimiento de que resultarás una pelirroja estupenda, cariño —dijo.

Este libro ha sido impreso en los talleres
de Novoprint S.A.
C/ Energía, 53 Sant Andreu de la Barca
(Barcelona)